JN081189

A wonderful country,

Nippon

すばらしき国、ニッポン

～外国人が驚いた、日本人の美徳～

早坂 隆

文響社

はじめに

私はこれまでに、取材などで五十ほどの国・地域を巡ってきました。アメリカや中国といった大国はもちろん、バルカン半島のボスニア・ヘルツェゴビナやマケドニア、中東のイラクやパレスチナなど、日本人にはやや馴染みの薄い国・地域も多く旅してきました。ルーマニアの首都であるブカレストでは、マンホールに住む人々への密着取材を二年にわたって継続しました。そんな生活をはや二十年ほど続けています。いろいろな現場で多種多様な思想や文化、風習などに触れてきました。

そんな中、世界を回れば回るほど私が実感したのは、

（日本というのは、実に個性的でユニークな国だな）

ということでした。やや逆説的になりますが、国際社会の多様性を知るたび、私は「日本の面白さ」に気付かされていったのです。

国際政治学者のサミュエル・ハンチントン氏は、世界を西欧文明やイスラム文明、中華文明など七つの文明圏に分類しましたが、その中には日本文明も挙げられています。日本以外の文明圏は複数の国々によって構成されていますが、日本だけは「一国で一つの文明」と位置づけられました。日本人が培ってきた文明とは、それだけ異色な存在なのだと言えます。

無論、「日本人論」を単純な「自画自賛」の域にとどめてしまってはいけません。そこで本書では「海外の人々が日本をどう見ているか」という諸外国からの視点を主要な軸の一つとして据えました。外国人からの複眼的な目線を通じて、日本ならびに日本人の特徴を点描できればと思います。

古来、自画像というのはあまり似ていないものです。「世界から見たニッポン」の中にこそ、本質をあぶり出すような真理が含まれているのではないでしょうか。

◆

昨今、「自画自賛」よりもつまらないのは、「日本ダメ論」です。日本の一部の人々は「日本はもうダメ」と過剰に言い立てる傾向があります。ネット上には「日本は三流国」「日本は終わり」といった言葉を延々と繰り返す人たちもいます。「日本死ね」などという汚い言葉も生まれました。

問題点を的確に指摘する批評精神が社会の発展のために必要なのは自明のことです。しかし、行き過ぎた「日本ダメ論」の類には、いかにも後ろ向きで気の滅入るような雰囲気が色濃く漂います。そのような過度の悲観主義が、社会のためになるとは思えません。

自国を殊更に美化する必要などもちろんありませんが、国際社会からの等身大の評価を通じて、祖国への適度な自信や誇りを穏やかに育んでいく姿勢は、これからの時代においてさらに重要となってくるのではないでしょうか。

これまでに先人たちが紡いできた知恵や工夫を知った上で、直面する課題にしっかりと取り組んでいく必要があります。新型コロナウイルスに関連する様々な問題と向き合う上でも、過去や先例を「良き学びの教科書」とすべきです。

日本らしさ、日本人らしさとは何か。令和という新しい時代を担う次世代の人たちにそんなことを考えてもらうためにも、今日までの「叡智の積み重ね」を丁寧に伝えていくことが重要です。

叡智を「美徳」と言い換えても良いでしょう。また、美徳について親子で共に学び合うのも良いと思います。そのような学びの時間は、お互いの人間性をより実りのあるものへと優しく育んでくれるでしょう。ひいては、そんな家族のかたちが「ぬくもり」のある社会の構築へとつながっていくのではないでしょうか。

本書は美徳を養うためのささやかな指南書です。

もくじ

第2章

日本人は信頼に足る

第3章

日本人は和と徳を重んじる

第４章

日本人は心に慈しみの太陽を持つ

第５章

日本人は尽くすことをいとわない

第6章

日本人は知と技術の民

第7章
日本人は洗練された美意識を持つ

第1章

日本人は清く、優しい

コロナ禍で注目を集めた「ジャパン・モデル」

二〇二〇年、世界は新型コロナウイルスの猛威にさらされました。現在も世界各国で様々な対策や研究が継続されています。

そんな中で注目を集めているのが日本のコロナ対策。欧米諸国などと比べて、日本の感染者数や死者数は桁違いに少なく抑えられています。しかも、ロックダウン（都市封鎖）することなく、国民の自主性に委ねるかたちでこの結果を出しているのです。

日本のコロナ対応には当初、海外から懐疑的な目が相次ぎました。しかし、日本の実情が数字として明確になってくると、海外メディアはその主張を一変。英紙「ガーディアン」（電子版）は**「今、日本は確固たる証拠を持って、新型コロナ対策に成功した国だと主張することができる」**と報じました。

また、米紙「ワシントンポスト」（電子版）は「政府の指示よりも、要請・合意・社会的圧力に基づく日本独特の封じ込め手法が奏功した」と報道。欧米など多くの国々が「罰則付きの外出禁止令」に踏み切る中、日本はあくまでも「要請」というかたちで国民に自粛を促しましたが、このような「ゆるい」政策であったにもかかわらず、日本の街からは人影がしっかりと減少しました。私は海外のいろいろな国を訪れてきましたが、このようなことを実現できるのは「日本人ならでは」と強く感じます。

こうした現象は、日本人が色濃く有する「規律を守る」「モラルを重んじる」「個よりも公を優先する」「団結力」「忍耐力」「他者への思いやり」といった心情が発揮されてのことでしょう。今回のコロナ禍において日本国民が示した高い民度や底力は、率直に言って誇って良いものではないでしょうか。国民一人ひとりの頑張りは「すばらしかった」と思います。

他方、オーストラリアの公共放送「ABC」は「日本は満員電車、世界で最も高い高齢者率、クルーズ船上での感染爆発、罰則なしの緊急事態宣言など、大惨事を引き起こすためのレシピを見ているようで、イタリアやニューヨークの二の舞になると懸念されたが、それは避けられた。だが、**封じ込めに成功した理由はミステリー（謎）**

だ」と報じました。

この「ミステリー」については今も議論が続けられ、「ジャパン・パラドックス」とも呼ばれています。

日本の成功の主な具体的要因としては、高度な医療技術や国民皆保険制度、日本人の免疫に対する遺伝的特性などが挙げられていますが、同時に注目を集めているのが日本独特の伝統や文化です。玄関で履物を脱ぐ生活様式、日本茶や納豆といった免疫力を高める食文化、毎日の入浴、ハグをしない会釈などの挨拶、手洗いやマスクの定着といった様々な「日本的なもの」が、ウイルス拡大の防止に役立っていると考えられています。先人たちから脈々と受け継がれてきた日本の伝統文化が、現代人である私たちを優しく守ってくれていることになります。

もちろん、引き続き油断は禁物ですが、「ジャパン・モデル」は世界の良き教科書となっていくのではないでしょうか。

サムライ・ブルーが見せた去り際の美しさ

二〇一八年、ロシアで開催されたＦＩＦＡワールドカップにおいてサッカー日本代表が見せた一つの行動が、世界的な大きな話題となりました。

それは一人の大会スタッフによるツイートが発端でした。そのツイートには、美しく整頓されたロッカールームの写真と共にこう書かれていたのです。

「これは九十四分でベルギーに負けた日本のロッカールームです。スタジアムではサポーターに感謝し、ベンチやロッカールームをきれいにし、そしてメディア対応をしました。またロシア語（キリル文字）で『ありがとう』と書かれたメモまで残していきました。すべてのチームの模範だと思います」

ベルギーに悔しい逆転負けを喫した状況だったにもかかわらず、ロッカールームをきれいに整頓して帰った日本代表とそのスタッフの行動を賞賛する内容のツイートでした。

このツイートはすぐさま世界中に拡散。ネット上には「Integrity（気高さ）」「Class

（品格）」といった言葉が数多く並びました。

このようなムーブメントを受けて、イギリスのサッカー専門誌『FourFourTwo』は、同大会の十大名場面として「日本代表の伝説のロッカールーム」を選び、以下のような言葉を添えました。

「永遠に称えられるべき、記憶に残る振る舞いだった」

さらに、二〇一九年にUAE（アラブ首長国連邦）で行われたAFCアジアカップでも、同様の光景が再現されました。同大会の公式ツイッターが、日本代表の使用したロッカールームの写真と共にこうツイートしたのです。

「日本代表はロッカールームをきれいに掃除し、英語、アラビア語、日本語で感謝のメッセージを残して大会を去りました」

また、日本人サポーターによるスタンドのゴミ拾いは、今や国際的にも広く知られる話。「日本を手本にしよう」という声が年々高まっています。

日本には「立つ鳥跡を濁さず」という諺がありますが、このような行動はまさに「日本人の美徳」の一つと言えるでしょう。

イギリスのデボンという街にあるグローブ小学校は、「日本式の掃除」を教育の一環として導入しています。海外の小学校では、日本のような「児童による掃除」は行われていないのが普通です。掃除は専門の業者や清掃員が行うケースが一般的なのです。

しかし、同校のヒラリー・プリースト校長は、テレビで日本の小学校における「掃除文化」を知り、これを新たに取り入れることを決定。以降、同校では放課後に毎日、児童たちが教室を掃除してから帰宅するようになりました。この掃除を始めて以来、「教室を散らかさない」という意識や、清潔な環境で学べることへの感謝の気持ちが子どもたちの間で高まっているそうです。

また、シンガポールでは二〇一六年からすべての小・中・高校で、主に日本をモデルにした掃除の時間が導入されました。近年では「ＳＯＪＩ」という日本語が使われることも増えています。それまでは教室にゴミが落ちていても放置していた子どもたちが率先して拾うようになったということで、教師や親からの評判も上々です。

日本では当たり前のことが、海外の人々の目には「驚きの習慣」や「珍しい光景」

に映ることがあります。日本の「掃除文化」は、国際社会から高く評価されているのです。

覚えたての現地語で国歌斉唱

二〇一九年十月、日本で開催されたラグビーワールドカップは、日本代表の8強入りという快進撃もあり、大成功のうちに幕を閉じました。

そんな大会を通じて話題になったのが、日本人の「おもてなし」の心。

開幕戦となる日本対ロシア戦の試合前、一つの動画が大会の公式インスタグラムで紹介されました。それは大勢の日本人が対戦相手であるロシアの国歌を覚えようと練習している光景を映した動画でした。この動画は「すばらしいどころじゃない」とのコメントと共にアップされましたが、これに対して「日本人は本当にグレートだ」「日本人に敬意を表す」といった書き込みが次々と寄せられました。

また、埼玉県熊谷市の熊谷ラグビー場で行われたロシア対サモア戦の試合前には、

四千人の中学生が国歌斉唱。試合会場のスタンドでロシアの国歌を歌う、熊谷東中の生徒たち。

約四千人もの地元の中学生がスタンドで両国の国旗を振り、覚えたての現地語でそれぞれの国歌を斉唱しました。

このような日本の取り組みは、世界のスポーツシーンを見渡しても非常に珍しく、当の選手たちからも、

「嬉しいサプライズ」

「本当に力をもらった」

といった賞賛の声があがりました。他国の国旗や国歌にも敬意を払う日本人の姿は、今後の国際的なスポーツ観戦のあり方を根底から変えていくのではないかとさえ言われています。

また、サッカー日本代表のサポーターの間で定着していた「試合後のゴミ拾い」は、ラグビー会場でも実践されました。これにはラグビー発祥国であるイギリスの各種メディアがすかさず反応。テレビや新聞、ネットニュースなどで大きく報じられ、イギリスのラグビーファンからは**「誰もが日本人から学ぶことがある」「彼らのこの行動、大好きだ」**といったコメントが集まりました。このようなゴミ拾いは「日本発

の文化」として世界中に拡散しつつあります。

さらに、フランスやイタリア、ナミビアの選手たちは、試合後のロッカールームを自ら清掃して会場を退出。これはサッカーの二〇一八年FIFAワールドカップで日本代表がロッカールームを掃除して帰ったことを踏まえての行動でした。

日本人が始めた行動が、世界中で温かな好循環を生み出しているのです。

日本のおもてなしは想像の先にあった

ラグビーワールドカップの話を、もう少し続けたいと思います。予選リーグで優勝候補のアイルランドを撃破して快進撃を続ける日本が、史上初のベスト8入りをかけて臨んだスコットランド戦は、とりわけ多くの注目を集める試合となりました。台風十九号によって試合の開催自体が危ぶまれましたが、多くの関係者たちの懸命な努力の結果、試合は予定通り行われました。

台風の犠牲者への黙祷から始められたその試合は、28対21で日本の勝利。被災者にも多くの勇気を与えました。

　イギリス人記者であるアンディ・ブル氏は、英紙「ガーディアン」のコラムの見出しにこう記しました。

〈台風被害にもかかわらず、日本が世界に彼らの反骨精神を示す〉

　コラムは以下のように続けられました。

〈日本では、このＷ杯でどのように「おもてなし（日本流の奉仕）」をすべきか、と誰もが議論していた。正確な訳語はないが、ここで四週間を過ごした私の不完全な理解によれば、それは客を喜ばせるために全力を尽くすことだった〉

　ところが、同記者によれば、その解釈は「浅はか」だったと言います。

〈しかし、彼らの「おもてなし」は皆の想像より、さらに数段階先にあった〉

　ここでブル氏は、この試合が始まる前にスコットランド側が「台風を理由に日本が試合を中止にするのではないか」と懸念していた事実に触れます。

　この試合が中止になれば、それまでに獲得した勝ち点の差から、日本の一次リーグ突破が決まる状況だったためです。スコットランド側は「試合が中止になったら法的措置を取る」とまで口にしていました。この点について、ブル氏はこう綴りました。

〈これは、ここで起きていることや、日本人の心情、彼らがこの試合をプレーし勝利することについてどれほどの覚悟をしていたのかに関する、恥ずかしいほどの勘違いだった〉

事実、日本側は試合中止によって決勝トーナメント進出を決めようなどとは微塵も思っていませんでした。試合当日、まだ強風が吹く中で、対スコットランド戦をなんとしてでも実現させるべく、約二千人もの関係者が全力で会場の整備にあたったのです。日本は正々堂々と勝ち進むことしか考えていませんでした。その結果として、見事に掴んだ初の８強だったのです。

世界を驚かせた「奇跡の七分間」

近年、海外のメディアやＳＮＳなどで「奇跡の七分間」として話題を集めているのが、「新幹線の清掃員」たちを紹介する映像。新幹線の車内を清掃員たちがわずか七分間ほどで掃除していく姿を映した動画です。

清掃員たちは、車両が駅のホームに入る三分前にはグループごとに分かれて整列。車両が入ってくると、まず深々とお辞儀をして迎えます。最近ではこの場面を、写真や動画に撮っている外国人観光客が増えています。

清掃員たちの行動は、驚くほど迅速です。担当の座席周りのゴミをすばやく集め、椅子の向きを進行方向に変え、テーブルや窓を拭いていきます。さらに座席カバーを交換し、忘れ物の有無をチェック。こうしてすべての座席の準備が手際よく進められていきます。この間、わずか約七分間。清掃員たちは最後、ホームで待っていた乗客に対して、

「お待たせしました」

と一礼して去っていきます。この時、ホームにいた外国人から拍手が起きることもあります。このような清掃員たちの姿が、世界から「奇跡」と評されているのです。

この「奇跡の七分間」に関する映像は、アメリカやドイツなど多くの国々のテレビ番組で紹介されました。アメリカのハーバード大学経営大学院では、講義のテーマと

して取り上げられました。スタンフォード大学は学生を研修に派遣。インドや韓国といった国々からも、視察の希望が相次いでいます。

清掃に関して言えば、日本ではオフィスに「整理」「整頓」などと記された張り紙をしている企業が少なくありません。こうした光景は、海外ではほとんど見られません。

また、前述した通り、日本の教育機関における「掃除文化」は世界的に見て珍しいもの。学校の遠足などでよく用いられる「来た時よりもキレイにして帰ろう」という言葉は、外国人を仰天させるフレーズの一つです。

日本人にとっての清掃とは、実際に空間を美しくするだけが目的ではありません。日本人の思考には、掃除を通じて心の清掃や浄化を行っているという感覚が伝統的に存在します。これは「清掃しながら心を整える」という考え方です。このような意識は、禅や神道に起因するものだと言われています。

ぼったくりタクシーが存在しない稀有な国

日本を訪れる外国人観光客の中には「リピーター」が多いと言われています。それは一度目の訪日が、満足のいく滞在だった証しと言えるでしょう。彼らは日本のどのような部分に感動したり、驚いたりしているのでしょうか。

海外の多くの国々では、空港で客待ちしているタクシーの安全性が大きな問題になっています。ドライバーが法外な金額をふっかけてくるのは、悪しき「グローバル・スタンダード」。メーターが設置されていても、機器に細工が加えられているケースも珍しくありません。

数年前、中国のハルビンを訪れた時の話です。私の乗った便は夜に空港に到着しましたが、市街地への鉄道路線はなく、ちょうどよい時間のバスもなかったので、仕方なくタクシーを利用しました。不法なタクシーだったらすぐに下車しようと思って乗ったのですが、走り出してもメーター表示に問題はありませんでした。ところが、そのタクシーは途中で幹線道路から外れ、人気のない森の中で停車しました。そして、そこで待っていた別のタクシーに乗り換えるようドライバーから命じられたのです。下手に反抗すると危険だと感じた私は、やむなくタクシーを乗り移りました。その新たに乗ったタクシーのメーターの金額が、グングンと上がっていったのは言うまでもありません。結局、日本円で一万円ほど余分に支払いましたが、もっと取られても不思議ではなかったと思います。

もしも日本にそんな「ぼったくりタクシー」が出現したら、ワイドショーなどで取り上げられるほどの問題となるでしょう。

しかし、世界にはそんなタクシーが溢れています。ですから外国からやってきた訪日客は、日本のタクシーが極めて安全な存在であることに、いきなり衝撃を受けることになるのです。「タクシーのドアが自動で開く」ことや「車内が異様に清潔である」のも喜ばれるポイントです。

街の中で驚かれるのが、自動販売機が非常に多いこと。海外の国々では、屋外に自動販売機を設置することは一般的ではありません。すぐに犯罪者に荒らされてしまうためです。犯罪者側から見れば、自動販売機は「お金の入った箱」。「持っていってください」と言わんばかりの光景に映ります。ちなみに、日本では温かい飲み物を購入できる自動販売機が普及していますが、海外にはほとんどありません。

また、日本の飲食店は「チップを出さなくてもサービスが丁寧」なことで好評。頼んでいないのに、おしぼりや水が出てくるのも、日本ならではの不思議なサービスとしてよく話題にあがります。店員がニコニコと微笑みかけてくるのも、かなり驚かれる点です。

日本のサービスは「過剰」と称されることもありますが、海外の店員のぶっきらぼうな対応よりもずっと良いと私は思います。中国で雑貨店などに入ると、店員がレジの奥に置かれた椅子に座ったまま、挨拶一つせずに食事をしていることなどが多々ありますが、私はそういった光景にある種の冷たさを覚えます。たとえ仕事上のことであったとしても、街には笑顔が多いほうが良いのではないでしょうか。

その他、近年の訪日外国人が「珍しい光景」として好んで写真の被写体にするのは、「立体駐車場」「電線・電柱」「パチンコ店」など。日本人にとっては何気ない街の一風景でも、外国人からすると興味深い景色に見えるようです。

ペリー提督が感嘆した日本人の資質

幕末から明治にかけて日本を訪れた欧米人は、西洋とは異なる日本の文化や社会構造に心から驚き、その感動を記録に書き残しました。

嘉永六(一八五三)年、開国を求めて来日したアメリカのマシュー・ペリーは、日本人について以下のように綴っていますが、その内容は極めて暗示的なものです。

〈日本人の手職人は世界のどの国の手職人に劣らず熟達しており、国民の発明力が自由に発揮されるようになったら、最も進んだ工業国に日本が追いつく日はそう遠くないだろう〉

日米修好通商条約の締結のために訪日したタウンゼント・ハリスの秘書兼通訳であったヘンリー・ヒュースケンは、こう記しています。

〈**この国の人々の質樸(しつぼく)な習俗とともに、その飾りけのなさを私は賛美する。**この国土のゆたかさを見、いたるところに満ちている子供たちの愉しい笑声を聞き、そしてどこにも悲惨なものを見出すことができなかった私は、おお、神よ、この幸福な情景が

いまや終わりを迎えようとしており、西洋の人々が彼らの重大な悪徳をもちこもうとしているように思われてならない〉

ドイツの考古学者であるハインリヒ・シュリーマンは、世界各地を巡る旅の途中で来日。ある日、彼は渡し船に乗った際、正規の料金の数倍に及ぶ金額を船頭に渡しました。なぜなら、日本に来る前に訪れた中国（清国）では、最初に提示された額とは異なる法外な値段を後から請求される事態が続き、そのことにうんざりしていたのです。ところが、日本の船頭は、

「これは規定の料金とは違いますよ」

と言って、余分なお金を返してきたのでした。シュリーマンは日本人の精神の高潔さに感銘を受けました。

古来、日本では金銭欲や我執（がしゅう）、富への驕りなどを戒める思想が脈々と受け継がれてきました。一方、海外では金銭欲を人間の自然な感情の一つとして、肯定的にとらえる場合が日本よりも多いように感じます。

現在、海外の企業では組織のトップが従業員とは桁違いの報酬を得るのが普通です

が、日本企業の役員報酬の割合はずっと抑えられたものになっています。中央値の比較によると、アメリカの主要企業におけるCEOの報酬は、日本の同職と比べて約六倍にも達すると言われています。

以下も比較の問題になりますが、日本には「他人を騙したり、蹴落としてでも金持ちになりたい」と考える人はそれほど多くないように見えます。「多少貧しくても、自分に恥じることなく真っ当に生きたい」と考える人のほうが多いのではないでしょうか。

天台宗の僧侶であった源信が寛和元（九八五）年に著した仏教書『往生要集』には、次のような一文があります。

「足ることを知らば貧といへども富と名づくべし、財ありとも欲多ければこれを貧と名づく」

明治十（一八七七）年以降、来日を繰り返したアメリカの動物学者、エドワード・S・モースは、日本社会について「貧乏人は存在するが貧困は存在しない」と記しました。日本人は「人生にとって大事なことは、金銭の多寡ではなく心のありようである」という価値観をずっと大切にしてきたのではないでしょうか。

「足るを知る」という人生の哲理は、長く日本人の血肉となってきたように思います。

メジャーリーガー黒田博樹の忠誠心

日本プロ野球・広島カープのエースとして長年にわたって活躍した黒田博樹氏。メジャーリーグのロサンゼルス・ドジャースやニューヨーク・ヤンキースでも、主力投手としてチームを支えました。

黒田氏がＦＡ権を獲得して渡米したのは二〇〇七年のオフ。黒田氏は愛着あるカープのフロントやファンに対し「いつか広島に戻る」ことを約束して、チームを離れました。

そんな黒田氏はドジャース側が提示した四年契約を断り、自ら三年契約を希望。さらにヤンキース移籍後も、チームからの複数年契約のオファーを辞退し、単年契約を申し出ました。それらの行為は、いつでもカープに戻れるよう配慮していた結果であったと言われています。

そして二〇一五年シーズン、黒田氏は広島カープに復帰しました。ヤンキースは約十五億円、パドレスなどは二十億円以上のオファーを提示したと言われますが、黒田氏はそれらの条件を蹴って古巣のカープを選んだのです。カープの提示した額は「年俸四億円プラス出来高払い」。黒田氏はお金よりも約束を優先しました。

この決断は、アメリカでも大きな反響を呼びました。アメリカでは「選手の価値＝年俸」という考え方が日本よりも根強く存在します。アメリカの各メディアは、黒田氏の行動を「日本人独特のチームへの忠誠心」「金よりも恩義を選ぶ日本的精神」といった言葉を使って分析しました。

二〇一六年、広島カープは黒田氏の活躍もあって見事に優勝。カープの優勝は、実に二十五年ぶりの快挙でした。米紙「USAトゥデイ」（電子版）は、「ヤンキースからの大型契約を断って、古巣・広島に復帰した黒田が二十五年ぶりの優勝に貢献した」と大々的に報じました。

そんな黒田氏の座右の銘は「雪に耐えて、梅花麗し」。西郷隆盛が甥の市来政直に贈った漢詩の一節です。

黒田氏が愛用した背番号「15」は現在、広島の永久欠番となっています。

大谷翔平の驕らない謙虚さ

二〇一八年シーズンからメジャーリーグに移籍した大谷翔平選手の活躍は、全世界の野球ファンに大きな衝撃を与えました。投手と打者を両立するという「二刀流」に対して、アメリカのSNS上には「日本では普通なのか?」「野球の概念を変えた」「まるでマンガ」といった言葉が溢れました。

平成六(一九九四)年七月五日、岩手県水沢市(現・奥州市)で生まれた大谷選手は、花巻東高校で剛腕投手として活躍。その後、北海道日本ハムファイターズにドラフト一巡目で指名され入団しました。

日本ハムでは五年間にわたってプレーし、投手として四十二勝、打者として四十八本の本塁打を記録。平成二十八（二〇一六）年には、日本のプロ野球で初の快挙となる「二桁勝利、百安打、二十本塁打」を達成し、リーグMVPにも選出されました。

そんな大谷選手が決断したのが、メジャーリーグへの挑戦でした。彼にとってアメリカでプレーすることは、小さい時からの夢だったのです。

しかし、メジャーリーグには「アメリカ出身以外で二十四歳以下の選手は契約金が制限される」という労使協定の規定があります。当時、二十三歳だった大谷選手は、あと二年待てば総額三億ドル（約三百四十億円）とも言われる大型契約を結べるはずでした。しかし、大谷選手はお金よりも自分のやりたいことを優先する道を選択。大谷選手はこう言いました。

「（自分は）まだまだ不完全な選手。やらなきゃいけないことがいっぱいある選手。そういう状態の中でぜひ行ってみたい」

大谷選手が選んだ球団は、ロサンゼルス・エンゼルス。エンゼルスより条件の良いオファーもありましたが、大谷選手は「自分を磨けるチーム」として、二刀流に最も理解を示した同球団を選びました。

結局、大谷選手のメジャー一年目の年俸は、最低保障額の五十四万五千ドル（約五千八百三十一万円）。日本ハム時代の年俸は二億七千万円でしたから、二億円以上もダウンしたことになります。

こうして迎えた一年目のシーズン、大谷選手はメジャー史上初の「十登板、二十本塁打、十盗塁」を記録し、アメリカン・リーグの新人王に選ばれました。その後、右肘の故障などに悩まされながらも、二〇一九年六月十三日には日本人初となるサイクルヒットも達成しています。

また、グラウンドに落ちているゴミを拾うといった行為も、「日本的な行動」として話題を呼んでいます。大谷選手は以前、先輩の稲葉篤紀（あつのり）氏（現・侍ジャパン監督）がベンチ前のゴミを拾っている光景を見て、大きな感銘を受けたと言います。そしてそれ以来、その行動を真似ているということです。

そんな大谷選手のアメリカでの愛称は「SHOWTIME（ショータイム）」。名前の「翔平」をもじったニックネームです。ショータイムの熱狂は、これからが本番です。

日本に魅了されるイニエスタ

スペイン出身の世界的なサッカープレイヤーであるアンドレス・イニエスタ選手。

かつて所属した名門・FCバルセロナでは、チームの中心選手として活躍し、二〇〇八―〇九シーズンにはスペインの週刊誌『ドン・バロン』が主催する「ドン・バロン・アワード」で「最優秀スペイン選手」にも選ばれました。

二〇一〇年に南アフリカで開催されたFIFAワールドカップでは、スペインを悲願の初優勝に導く原動力となりました。オランダとの間で争われた決勝戦で、値千金の決勝点を決めたのもイニエスタ選手。「頭脳」「手品師」といった愛称でも親しまれています。

そんな世界的なスーパースターが二〇一八年、Jリーグのヴィッセル神戸に移籍。母国スペインはもちろん、世界中で大きな話題となりました。もともと大の親日家だったというイニエスタ選手は、入団会見でこう語りました。

「（日本は）私の大好きな国です。（略）日本人もとても好きですし、一番重要なことは文化に溶け込むこと。皆さんと同じくらい国民の一員になりたい」

入団後はワールドクラスのプレーをピッチ上で披露し続けていますが、彼は日本での生活を次のように表現しています。

「これだけ文化が違うから、最初の数カ月こそ厳しいものだったけどね。神戸には海も山もあって、バルセロナに似ている町だ。人々は優しく、敬意を払ってくれる」

日本での驚いた点については、こう語っています。

「(日本で) 最も目を引いたのは、仕事の仕方がすべてきっちりと計算され尽くしていることかな。僕はかなり物事をシステマチックに行うタイプだけれど、日本でのそれは信じられないくらいだ。あとは人々の敬意の払い方とか。人々はどこに行っても誰もが手を貸そうとしてくれる。無償でね」

イニエスタ選手は **「日本に魅了されている」** とも述べています。

そんな彼のインスタグラムは「イニエスタグラム」とも呼ばれ、世界各地に三千三百万人以上ものフォロワーがいますが、「日本ネタ」はもはや鉄板。大阪のユニバーサル・スタジオ・ジャパンを訪れた際の写真や、京都の嵐山を家族で散策している時の写真などが、世界中からたくさんの「いいね」を集めています。

二〇二〇年元旦、新たな国立競技場のこけら落としとなった天皇杯の決勝戦では、足を痛めながらも攻守の要としてプレーし、ヴィッセル神戸をクラブ創設以来、初めてとなるタイトルに導きました。

第2章

日本人は信頼に足る

世界最高峰のブランド力

二〇一九年六月、イギリスのフューチャーブランド社が発表した「フューチャーブランド・カントリー指数」によると、日本のブランド力は世界で第一位。特に「独特な文化」「自然の美しさ」「健康的な食事」「製品・サービスの信頼性」といった分野で極めて高い評価を獲得しました。

文化に関しては「西洋とは異なる無駄を省いたシンプルさなどを体現した独特な文化こそが、日本の最も偉大な輸出品」と評されました。

ちなみに、二位にはノルウェー、三位にはスイスといった国々がランクイン。一方、アメリカは十二位、韓国は二十位、中国は二十九位という結果でした。

実はこの発表の五年前に行われた同様の調査でも、日本は第一位。つまり、堂々の二連覇というわけです。

別のランキングも見てみましょう。アメリカの時事解説誌『USニューズ&ワールド・レポート』などがまとめた「ベスト・カントリーズ2019」によると、日本は総合ランキングで第二位。一位はスイス、三位はカナダ、四位はドイツ、五位はイギリスという順位でした。

この総合ランキングは九項目に及ぶカテゴリーの順位をもとにしてつくられたもので、分野別に見ると日本は「起業家精神」で一位、「原動力」で五位、「文化的影響力」で六位、「経済・政治的影響力」で七位という結果でした。

起業家精神で一位に選ばれた点については意外に感じる向きもあるかもしれませんが、アメリカのＢＡＶコンサルティングとペンシルバニア大学ウォートンスクールが実施した「起業家精神ランキング」でも日本は堂々の二位に輝いています。同調査において日本は「新しいアイデアを次のステップへと繋げる手段が金融的・法律的に整っている」と高く評価されました。日本では近年、ベンチャーキャピタルによる投資も活発化しており、「起業のハードル」は以前よりも低くなっています。また、一九八〇年代以降に生まれた「デジタルネイティブ世代」の中には、高速インターネットやスマートフォンを駆使したビジネスを立ち上げる人たちも増えています。

もとよりソニーもパナソニックもホンダもトヨタも、最初はベンチャー企業。最近ではソフトバンクや楽天、ユニクロなどが世界各地で存在感を示しています。日本人に「起業家精神がない」なんてことはありません。

ちなみに、ルーマニアの首都・ブカレストでマンホール生活を送っていた一人の少年は、薄暗い地下世界の中で「ＳＯＮＹ」の文字の入った段ボールを私に見せながら、

「僕の枕は日本製だよ。ソニーの枕は最高さ」

とジョークを飛ばしました。ルーマニアのマンホール生活者の耳にまで日本企業のブランド名は届いていたわけです。

いずれにせよ、以上のようなランキングを眺めると、総じて日本が高い「格付け」を得ている国であることがよくわかります。そういった現状を的確に把握した上で、脆弱な部分は改善していけばいいと思います。

当の日本人が、決して下を向いてため息をつく必要などありません。日本は世界屈指の評価を得ている国。自信過剰は禁物ですが、かといって過度の自信喪失はむしろ危険でしょう。

世界最強のパスポート

二〇二〇年一月、イギリスのコンサルティング会社であるヘンリー・アンド・パートナーズが「世界のパスポート・ランキング」を発表しました。これはビザなし、あるいはアライバルビザ（到着ビザ）で訪問できる国や地域の数を計算してつくられた総合的なランキングです。

この調査において、日本は第一位を獲得。実に三年連続の首位という結果になりました。日本は「世界百九十一の国や地域にビザなし、またはアライバルビザ取得で渡航できる」と評されました。まさに「世界最強のパスポート」です。日本に続く二位はシンガポール、三位はドイツと韓国でした。

確かに世界の様々な国々を巡っていると、日本のパスポートの「強さ」を感じることがよくあります。私は二十代の頃、東欧諸国やバルト三国を列車やバスなどで巡ったことがありましたが、各国境を越える際に「ビザの壁」を感じることはありませんでした。しかし、旅の途中で出会ったパキスタン人の学生は「ビザがなかなか下りない」ととても苦労している様子でした。また、シリア人の青年も、同様の理由から「日本人が羨ましい」と何度もこぼしていました。ビザなしで入国できるということは、それだけ日本という国家の信頼度が高い証拠です。

私がビザの取得で最も苦労したのは、サダム・フセイン時代のイラクでした。ヨルダンの首都・アンマンでビザの申請を行いましたが、二週間ほど待たされました。しかも、入国時には「エイズ検査」と称して血液まで抜かれる始末。「世界最強のパスポート」をもってしても、独裁国家の前ではかなりの苦戦を強いられました。それでも結果的に入国できたのは、イラクと長期にわたって良好な関係性を築いてきた日本外交のおかげだったと思います。

先のランキングの発表に対して、大きく反応したのが中国でした。中国のネット上には、日本のパスポートが強力である理由について、

「日本の国際的な地位が高いから」「日本人の民度が高いため」

といった意見が多く寄せられました。ちなみに中国の順位は七十二位でした。

同ランキングの最下位はアフガニスタン。ビザなしで渡航できる国はわずか二十六

カ国で、それに続いたのがイラクとシリアでした。いずれも政情が不安定な国ばかりです。

日本人の感覚では「ビザなし渡航」など当然のことかもしれません。そこに「ありがたみ」など、いちいち感じないのが普通でしょう。しかし、世界的に見ると「ビザなし渡航」は、決して当たり前のことではありません。ビザ代が高額な場合も多々あります。

そんな「世界最強のパスポート」は、皮肉なことに犯罪者からも「人気の的」。偽造や悪用を狙う者たちが後を絶ちません。そんな状況を防ぐため、二〇二〇年、日本のパスポートは七十三年ぶりにリニューアルされました。世界最先端の透かしや特殊インキの偽造防止技術が導入され、ＩＣチップも複雑化されました。査証（ビザ）欄には葛飾北斎（かつしかほくさい）の「富嶽（ふがく）三十六景」がデザインされました。

いずれにせよ、日本のパスポートの信用度が高いのは、ひとえに先人たちの歩みのおかげ。感謝の気持ちを覚えたいものです。

日本の鉄道の話を聞くと、アメリカは中世なのだとわかる

日本の鉄道が誇る極めて正確な運行システムは、訪日外国人が大いに驚くポイントの一つ。分刻みで運行される東京や大阪の地下鉄などは「世界一の正確さ」とも称されます。「数分遅れただけで謝罪のアナウンスが流れる」のも日本ならではの光景。私の友人のアメリカ人は、「駅の案内板に『五分遅れ』という表示が出たが、その後、本当にぴったり五分後に列車が来たことに感動した」と語っていました。

列車の遅延は、イギリスやドイツといったヨーロッパ諸国でも日常茶飯事。かつて私は東欧のルーマニアに二年ほど暮らしていましたが、時間通りに列車が発着したことなど一度もなかったように思います。アジア諸国では、さらに遅延の程度がひどくなる場合が珍しくありません。

二〇一七年十一月には、「日本の列車（つくばエクスプレス）が定刻より二十秒早く出発したことに対して、鉄道会社側が謝罪した」というニュースが、海外メディアで大きく報じられました。海外のＳＮＳ上には、**「世界中の鉄道を日本人に運営して**

ほしい」「日本の鉄道の話を聞くと、アメリカは中世なのだとわかる」といった書き込みが溢れました。

二〇一九年九月、私は中央アジアのカザフスタンで催された「アジア作家フォーラム」という会合に招かれて出席しました。日程は三日間に及びましたが、結局、事前に渡されたスケジュール表通りにイベントが進行したことは一度もありませんでした。しかし、カザフ人はもちろん、アジアの四十カ国以上から集まった作家やジャーナリストたちも、一様にのんびりとした様子。気がつけば、時間をいちいち気にしていたのは、私と台湾人作家氏くらいのものでした。カザフ人のとある作家いわく、「カザフ人は時間にルーズ。カザフ人が待ち合わせの時間に来ることなど、ほとんどありません。大事な結婚式でさえ遅刻したり、無断で欠席したりする人もいます」とのこと。日本人とはかなり異なる時間感覚を有している様子がうかがえましたが、世界的に見れば日本人ほど細かく時計を気にしている民族のほうがむしろ少数派でしょう。

古来、日本人は「個」よりも「公」や「和」を大切にしてきました。西欧では「個の自由」がとりわけ重要視されますが、日本人の思考の中には伝統的に「行き過ぎた自由は身勝手」という概念が深く根付いています。これは日本が、集団での的確な協力体制を必要とする稲作文化圏に属する国であることと深く関係するでしょう。個人が自由気ままに動いていては、種まきや収穫の効率は著しく低下してしまいます。

そのような文明圏の中で日本人は「社会が個人の自由を尊重し過ぎると、それぞれの欲求がぶつかり合うためにお互いの信頼が損なわれ、集団の秩序が乱れて結局みんなが不幸になる」という価値観を身につけていったのだと思います。日本で最初に制定された成文法である憲法十七条は、「以和為貴（和ヲ以テ貴シトナス）」から始まります。

「時間を守る」というのは、他者との最も基本的な約束事。日本人が時間に正確なのは、「自分よりも他者（集団）を優先する」という気質の表れではないでしょうか。

スクランブル交差点でぶつからない日本人

ここ数年、訪日観光客の間でとりわけ人気が高まっている場所の一つが東京の渋谷。中でも渋谷駅前のスクランブル交差点は「Shibuya Crossing」として、「映画やマンガでよく観る」「現代の日本と言えばこの景色」などと称され、注目の観光エリアとなっています。交差点とその周辺の風景を、自撮り棒を使って写真や動画に収めようとする外国人観光客の姿が年々増えています。

ちなみに、スクランブル交差点の発祥の地はアメリカとカナダですが、現在では渋谷のスクランブル交差点が世界一の知名度を誇ります。多い時には一回の青信号で約三千人もの人々が横断するとされますが、アメリカ出身の映画監督であるソフィア・コッポラ氏はその光景を、

「まるで『ブレードランナー』のようだ」

と語りました。リドリー・スコット監督の『ブレードランナー』は、架空の未来世界を描いたＳＦ映画の金字塔。コッポラ氏は自身の『ロスト・イン・トランスレーション』という作品の中でも渋谷の光景を描いています。

外国人が驚くのは、その規模の大きさだけではありません。彼らが驚嘆するのは

「日本人が他者とぶつからずに、それぞれの向かう方向へと整然と歩く姿」。日本人にとっては特に意識するようなことではありませんが、外国人からは「日本人らしい譲り合いの精神」「すばらしい」といった声が寄せられています。

海外のSNS上では、渋谷のスクランブル交差点をテーマに議論が盛り上がることもしばしば。とあるアメリカ人は「アメリカだったら、周囲を気にせずに走ったりする人間が大勢出るはず。みんな、ぶつかりまくって喧嘩になる」と書き込み、ベトナム人は「我が国では誰も信号など守らない。こんな交差点は成立しない」と主張しました。その他、**「日本人は周囲を気にする天才。だから社会が穏やかにまとまる。あの交差点はその象徴。非常に日本らしい光景だ」**と書くフランス人も。**「ルールは決まっていないのに規律がある。日本人は不思議な民族だ」**とはブラジル人のコメントです。

日本人にとっては何気ない日常の行動でも、外国人には驚きのシーンに映ることがありますが、渋谷のスクランブル交差点はまさにその一例と言えるでしょう。

また近年、海外で話題を呼んだインターネット動画に、日本体育大学の「集団行動」という競技を映したものがあります。同校で四十年以上もの伝統を誇るこの競技は、隊列を組んだ学生たちが一糸乱れぬ行動で号令に従い、歩いたり走ったり止まったりするものですが、他者とぶつかることなく、周囲の動きとピタリと合わせたその規律ある動きに、世界の人々は驚愕しました。視聴者からは「日本人だからできる」「これが日本人の強さの秘訣」「日本人はこれを練習しているから渋谷の交差点を歩けるのか」といったコメントが寄せられました。

日本人の集団行動についてはいろいろな意見がありますが、周囲と行動を合わせられるということは、外部の状況を正確に認識する繊細な感覚がある一つの証明だと思います。

住みやすい都市

イギリス誌『エコノミスト』の調査部門である「エコノミスト・インテリジェンス・ユニット（ＥＩＵ）」がまとめた二〇一九年の「世界で最も住みやすい都市」と

いうランキングで、日本勢は高評価を獲得。大阪が四位、東京は七位に入りました。世界的権威のあるこのランキングは、百四十もの都市を対象に「安定性」「文化・環境」「医療」「インフラ」「教育」という五つの分野について細かく評価したものです。

一位に輝いたのはオーストリアのウィーン、二位はオーストラリアのメルボルン、三位は同じくオーストラリアのシドニーでした。

それに続いたのが大阪です。以下、カルガリー、バンクーバー、トロントとカナダの三都市が続き、東京はトロントと同率の七位にランクイン。結局、ランキングの上位を占めたのは、オーストリア、オーストラリア、カナダ、そして日本という四カ国の主要都市でした。アジアで上位に付けたのは、日本だけです。

大阪と東京が高く評価されたのは、「治安の良さ」「道路や鉄道などのインフラ」「質の高い教育」「公共医療システム」といった項目でした。確かにアメリカやヨーロッパの大都市と比べても、日本の都市部の治安の良さには目を見張るものがあります。訪日外国人は一様に、日本の治安の良さに感動します。また、日本の鉄道交通網はその利便性と正確性において、しばしば「世界一」と称されます。

他方、パリは二十六位、ロンドンは四十八位、ニューヨークは五十八位という結果になりました。中国勢のトップは蘇州で七十五位。ワースト3はバングラデシュのダッカ、ナイジェリアのラゴス、最下位となったのはシリアのダマスカスでした。

このランキングは毎年発表されているものですが、大阪と東京は常に上位を維持しています。

その他、イギリス誌『エコノミスト』が世界六十都市を対象にまとめた「安全度ランキング」でも東京が一位、大阪が三位を獲得。しかし、当の日本人の中には、そんな「住みやすさ」をそれほど実感していない人が多いかもしれません。

ちなみに、私は「世界で最も住みやすい都市」の一位に輝いたウィーンにも、最下位となったダマスカスにもしばらく滞在したことがありますが、「天国と地獄」のような差を感じた記憶はありません。そう考えると「住みやすさ」を測ることは、もとより難しい作業なのかもしれません。

それでもやはり、海外から帰国すると日本の良さを実感するのも事実。特に治安の良さには心からありがたみを感じます。日本社会の長所を的確に理解することは、とても大事なことだと思います。

「性善説」が安定した社会を生み出す

以前、拙宅にアメリカ人の大学院生がホームステイしていた時期がありました。

ある日、私は彼と一緒にリビングでお昼のニュース番組を何気なく観ていました。その日のトップニュースは「遠足中の中学生がスズメバチの群れに襲われ、数人が負傷」という内容でした。それを観た青年は、苦笑してこう言いました。

「これがまさに日本ですね。アメリカでは誰かが射殺されたって、ニュースにすらなりませんよ」

アメリカでは他殺率（人口十万人あたり）が五・〇ですが、日本では〇・三。約十六・七倍もの差が生じています。

日本のように、深夜に女性が一人で街を歩いていたり、電車内で乗客が熟睡しているのも「国際標準」から言えばかなり特異な光景。多くの国々では「電車の中で寝てはいけない」と親が子どもに教えます。カバンや貴重品を盗られるケースが常態化しているからです。

また、鉄道の駅やバスターミナルといった場所で手荷物検査が行われていない国も、国際的には珍しい部類に入ります。

このような治安の良さは、日本人が長年にわたって培ってきた良き伝統の一つ。江戸時代に訪日した外国人は「日本の家屋の多くに鍵がない」ことに驚きました。当時の江戸には百万人以上もの人々が暮らしていましたが、与力や同心といった今で言う警察官の数は、数百人程度だったと言われています。それでも十分に治安が維持されていたのです。

そんな伝統は現代にまで受け継がれています。元サッカー日本代表監督のイタリア人であるアルベルト・ザッケローニ氏は、イタリア紙「ガゼッタ・デロ・スポルト」の紙面で「日本のロッカールームで感じた驚き」についてこう語っています。

「選手たちは着替えると、テーブルの上に時計やネックレス、財布など、すべての貴重品を並べた。それから一人ずつ出て行った。最後に残された私は心の中で思った。

『ここを閉めるのは誰だ?』。誰も閉める者はいなかった。鍵も存在せず、嫌な光景を思い描く者は私以外に誰もいなかった。ロッカールームの数メートル先には、数百人もの人がいたにもかかわらずだ。彼らには思い浮かびすらしない推測、懸念だったのだ。**私は東洋をかなり旅したが、このような性格を持っているのは日本人だけだと言える**」

日本人の性格を表す言葉の一つに「性善説」が挙げられるでしょう。性善説とは「人間の本性は善」とする考え方ですが、概して日本人の多くはこの性善説に基づいて生活しているように見えます。海外の多くの国々が徹底した「契約社会」なのは、性悪説が根底にあるからです。中国のホテルに宿泊すると、チェックアウトの際に部屋の備品の有無を確認される場合がありますが、これは「客は備品を盗むものだ」という性悪説によるものです。日本のホテルでは、このようなことは行われません。

日本では「他人をむやみに疑うこと」は恥ずべき行為とされます。日本は「信用」や「信頼」に基づいた社会です。この点について、私はルーマニア在住時、よくルーマニア人と議論しました。ルーマニア人の多くは、

「家族や親友は信用できる。しかし、日本人は知らない他人をなぜ信用できるのか」

といった反応を示しました。彼らの世界観の根底には性悪説があると感じました。性善説から派生する「自分は盗まないし、他人も盗まないだろう」という感覚は、実は世界的には珍しい部類に入るものなのです。

世界が羨む国民皆保険制度

日本は「国民の平均寿命が世界トップレベル」という長寿国。「日本人は長生き」というイメージは、世界でもかなり定着しています。

平成三十（二〇一八）年の日本人の平均寿命は、男性が八十一・二五歳、女性が八十七・三二歳。海外の国々と比較すると、男性は香港、スイスに次いで三位、女性は香港に続く二位という順位でした。

そんな日本も、昔からずっと長寿国だったわけではありません。日本人男性の平均寿命が五十歳を超えたのは、実は戦後のこと。七十歳を突破したのは昭和四十六（一九七一）年ですから、長寿化は意外と最近のこととも言えます。

そんな長寿の理由は何でしょうか。

一つには食生活の改善が挙げられます。もとより和食は脂肪分が少なく健康的とされますが、第二次世界大戦後の食糧難が徐々に解消されていったことで、平均寿命は大きく改善されました。

また、医療制度の充実も大きな要因です。日本の国民皆保険制度や定期健康診断、予防接種の充実といった仕組みは、世界が羨むシステム。実は国民皆保険制度が整っている国は、世界に数えるほどしかありません。保健環境が劣悪とされるアメリカでは、貧困層は民間保険にも加入できず、日本ならば完治できる病気や怪我であっても、十分な医療行為を受けられずに命を落とす人たちが大勢います。そして、そのような人々はアメリカだけでなく、世界中にいるわけです。

今回の新型コロナウイルスの世界的な拡大という局面においても、日本の優れた医療制度は改めて海外から注目を集めることになりました。アメリカでは保険未加入者が高額の医療費を恐れて病院へ行くことをためらったり、保険加入者であっても日本円にして数十万円もの自己負担を求められる事態が起きています。中国では病院の前に長い行列ができ、イタリアでは感染者が殺到したために一部の病院が閉鎖されました。そんな中、日本は感染死亡者数を一定程度、抑制することに成功しています。その結果、「日本の医療制度を見習うべきだ」という声が海外で高まっているのです。

このような医療制度の充実を背景として、日本人の長寿化は今後も進むと見られています。内閣府公表の白書によれば、二〇六〇年の平均寿命は男性が八十四・一九歳、女性が九十・九三歳とされています。

ただし、そのような長寿化が国民の幸福度にどう繋がるのかについては議論があります。本来、寿命が伸びることは喜ぶべき慶事のはずですが、少子高齢化の進展によって年金や介護制度は抜本的な見直しを迫られています。しっかりと対応していかなければなりません。

礼節と敬意が優先される、特筆すべき国

二〇一八年までJリーグのセレッソ大阪を率いたミゲル・アンヘル・ロティーナ氏は、スペインのバスク地方の出身。世界最高峰のレベルを誇るスペインサッカー界において屈指の戦術家として名を馳せ、来日後は東京ヴェルディやセレッソ大阪で辣腕を振るいました。そんな名将はスペイン紙「ABC」からの取材に答えた際、日本についてこう語っています。

「日本は世界の中でも特異な概念を持っていて、それはフットボールにおいても同様だ。日常生活においては礼節と敬意がなによりも優先される。まさに特筆に値する国。フットボールについても、良い意味で期待を裏切られた。**驚くべきことに、試合が終わると対戦相手の選手たちやサポーターからも拍手や賛辞を送られるんだ。こうした価値観はヨーロッパにはないもので、当初は信じられないことばかりだった。**我々は彼ら日本人から、多くのことを学べると思う」

ヨーロッパの主なリーグでは、試合後にサポーターが相手チームの選手にまで拍手

を送るような光景は一般的ではありません。互いの健闘を讃え合う文化が根付いている日本のサッカー界の習慣に感動したロティーナ氏は、日本社会の特徴として「礼節」と「敬意」を挙げました。

そんなロティーナ氏ですが、彼を最も驚かせたのは日本人選手の熱心な練習ぶりでした。

「日本の選手たちは本当に練習の虫。でも私はそれを許さなかった。人間の体には休息が必要で、それは勝利に欠かせない要素だと理解させたんだ」

彼はさらにこう付け加えています。

「日本では、フットボーラーは休んではいけないものとみなされている。それこそオフの日でもね。シーズンが終われば三十日間の休みがあるんだが、とある選手は私に『スペインのどこかのクラブに行かせてほしい』と言ってきた。そうしたやり取りは日常茶飯事で、ヴェルディはだいたい朝十時から十二時まで練習するんだが、選手たちはそれが終わってもさらに二時間、パーソナルな練習をやるんだ。試合前日でさえそれをやる。だから私は彼らに言った。ゆっくり身体も頭も休めなければダメだと」

しかし結局、この時はロティーナ氏が折れるかたちで、「十五分間だけならいいぞ」と許可を与えたと言います。日本人選手の熱心さと真面目さが伝わってくるようなエピソードです。

いずれにせよ、スペインは「シエスタ」の文化が根付く国。シエスタとは昼食後の日差しの強い時間帯に、二～三時間ほど昼寝の休息をとる習慣です。そんな国から来日したロティーナ氏の戸惑いは、さぞ大きかったことでしょう。

レッドブル・ホンダの躍進を支えた「献心」

「オリンピック」「FIFAワールドカップ」と共に、「世界三大スポーツイベント」に数えられることもある「F1（フォーミュラ1）グランプリ」。そんな世界最高峰の舞台で奮闘しているのが、日本のホンダ・レーシング・F1チーム。母体は本田技研工業です。

ホンダのF1参戦は一九六四年にまで遡ります。一九八〇年代に黄金時代を築き、一九八八年にはホンダエンジンを搭載したマクラーレンが十六戦中十五勝という圧倒的な記録で年間優勝。「ホンダでなければＦ１は勝てない」とまで言わしめました。しかし、一九九二年、本田技研工業の経営悪化に伴い、ホンダはＦ１から撤退しました。

ホンダがＦ１に復帰したのは二〇〇〇年。しかし、総じて思うような成績を残すことはできませんでした。二〇〇八年十二月、チームは再び撤退を発表しました。

改めてホンダがＦ１に戻ってきたのは二〇一五年です。かつて共に隆盛期を過ごしたマクラーレンとのコンビでした。しかし、ホンダエンジンは信頼性でもパフォーマンスの面でも苦戦の連続。ドライバーからパワー不足について厳しく非難されるなど、昔日の面影は失われていました。

そんなホンダが復活の狼煙（のろし）をあげたのは、二〇一九年シーズン。新たにレッドブルとタッグを組んだホンダは、開幕戦で三位入賞を果たすなど、エンジン性能が大きく改善されていることを証明しました。そして迎えた第九戦オーストリアＧＰにおいて、レッドブル・ホンダはついに初優勝。世界のモーターファンに「ホンダ復活」を印象付けたのです。

　ホンダのエンジニアたちは結果が出ずに批判が集中した時期にも決して諦めることなく、性能の向上のため黙々と作業を続けていました。その働きぶりは他チームはもちろん、レッドブルのスタッフをも驚かせるほどでした。レッドブルＦ１の代表を務めるイギリス人のクリスチャン・ホーナー氏はこう語っています。

「パートナーとして、間近でホンダを見てきているが、彼らは目標を達成しようとする強い意志を持っているだけでなく、パートナーに対して本当に献身的だった。だから、今日の表彰式でわれわれコンストラクターの代表として優勝トロフィーを受け取るのは、タナベさん（ホンダの田辺豊治Ｆ１テクニカルディレクター）しかいないと思った。今日の勝利は、ホンダの努力があったからこそ。日本を代表してホンダがコンストラクターズトロフィーを受け取るのを見たときは、最高の瞬間だった」

　二〇一九年十一月十七日、シーズン第二十戦のブラジルＧＰでは、ホンダエンジンを搭載した二台が、実に二十八年ぶりとなるワンツーフィニッシュ（一位と二位の独占）。奇しくもこの日は、本田技研工業の創業者である本田宗一郎氏の誕生日でした。

第3章

日本人は和と徳を重んじる

アジアは日本にリーダーになってもらいたいと思っている

二〇一八年末、シンガポールの「東南アジア研究所」が、ASEAN（東南アジア諸国連合）加盟十カ国の識者を対象にアンケート調査を実施しました。その結果、日本は「平和や繁栄に貢献する国として最も期待されている国」に選ばれました。

日本は国際平和と安全保障に関して「正しい行動をとると信じている」との回答率で第一位を獲得（65・9％）。これは二位の欧州連合（41・3％）、三位のアメリカ（27・3％）に大差を付けての首位という結果でした。アジア各地において日本が高い信頼を寄せられている国であることが証明されました。

日本は戦後、一貫して「先の大戦の反省を踏まえた不戦・平和の誓い」を守ってきました。日本は国際協調主義の中で、国連との関係性を重視。また、国際通貨基金（IMF）との協力関係の下、国際経済や金融秩序の安定した構築に貢献し、アジアの経済成長に大きく寄与しました。そういった歩みは、アジアにおいてしっかりと評価されています。

一方、「不信感を抱いている」と断じられた国のランキングは、一位が中国（51・5％）、二位がアメリカ（50・6％）、三位がインド（45・6％）という順位でした。急速に大国化する中国に対して、アジアの多くの人々が不安を感じている様子がうかがえます。日本と中国に対して、まったく対照的な評価が下されたことになります。

ただし、「政治的かつ戦略的に最も影響力がある」というランキングでは、中国が一位を獲得（45・2％）。すなわち、中国への不信感は根強いものの、その存在感を無視できなくなってきた現実が反映された調査結果と言えるでしょう。

そんな中、日本への期待度は以前にも増して高まっています。日本はより積極的に国際社会の安定に貢献すべきです。私は以前、ベトナム人のジャーナリストから、こんなことを言われたことがあります。

「アジア各国は日本にリーダーになってもらいたいと思っている。しかし、日本はあまり積極的ではないですね。日本はアメリカやヨーロッパのほうばかり見ていて、アジアにはあまり関心がないように見えます」

モンゴル人の新聞記者は、力強い口調でこう言いました。

「このままではアジアはもちろん、他の地域も中国に呑み込まれてしまいますよ。中国が進める一帯一路（著者注・シルクロードを経由する巨大経済圏構想）を止めることは、モンゴルのような弱い国にはできません。でも、日本ならできるはずでしょう？」

アジア各地を取材で巡っていると、このような声に触れることは決して珍しくありません。それどころか、年々増加しているように感じます。

日本人が暴動を起こさない理由

平成二十三（二〇一一）年三月十一日に発生した東日本大震災。巨大津波が各地を襲う光景をとらえた映像は、世界中に速報で報じられ、人々に大きな衝撃を与えました。

被災地では火事場泥棒的な犯罪などが一部で発生しましたが、それらは海外のそれまでの事例と比べると格段に少ないものでした。地域全体が未曾有の被害を受ける中、暴動を起こすこともなく整然と配給の列に並ぶ日本人の姿は、世界中の人々を驚かせました。

外国との比較例を挙げると、二〇〇五年八月、ハリケーン・カトリーナの被害に見舞われたアメリカ南東部では、群衆がスーパーマーケットを襲って商品を略奪するといった大規模な暴動が発生。ニューオリンズ市などは治安が極端に悪化し、一部の警察官が任務を放棄するという事態にまで発展しました。また、二〇一〇年一月に起きたハイチ大震災の際にも、一部の都市が無法地帯と化しました。

そういった前例と比較し、海外メディアは「なぜ日本では暴動が起きないのか」と一斉に報道。アメリカのCNNテレビは被災地をいち早く取材しましたが、現地入りした記者は次のように伝えました。

「**日本の被災地の住民たちは冷静で、自助努力と他者との調和を保ちながら、礼儀さえも守っています。**共に助け合っていくという共同体の意識でしょうか。調和を大切にする日本社会の特徴でしょうか」

同局には「日本人が暴動を起こさない理由」について、「敬意と品格に基づく文化だから」「愛国的な誇り」といった視聴者からの声が寄せられました。「我々は日本人から学ばなければならない」といった意見も相次ぎました。

「中国中央電視台（ＣＣＴＶ）」も被災地について「秩序があって混乱はまったく見当たらない」と一報。視聴者からは「これが我々と日本人との民度の違い」といった声があがりました。中には「日本人には『道徳』という血が流れているのだと思う」という意見もありました。

この意見に付言すると、私は日本人の身体に流れているのは「道徳」というよりもむしろ「美徳」ではないかと思います。二十世紀前半、外交官として日本で過ごしたイギリス人のジョージ・サンソムはその著作『日本文化史』の中で、「日本人が倫理やモラルについて表現する時にさえ『きれい』とか『汚い』といった美学的な言葉遣いをする」ことを驚きをもって記しています。旧約聖書の「十戒」に代表されるような「神からの戒律」によって自身の行動を律しようとするキリスト教文明とは異なり、日本人の精神構造の中には「美醜（びしゅう）」が価値判断の指針として存在していることにサンソムは深い感銘を受けたのです。

日本人は生き方の中に「美しさ」を求めます。そんな日本人が大切に育んできたのが「美徳」という概念です。私は震災の被災者たちも、このような美徳に基づく判断によって自身の行動を戒めたのだと思います。

今回の新型コロナウイルス感染拡大という事態においても、日本人の行動は他国と比べれば抑制的なものになっています。Jリーグ・ヴィッセル神戸の監督を務めるドイツ人のトルステン・フィンク氏は、そんな日本社会についてこう語っています。

「日本ではコロナで誰もパニックにはなっていない。人々はリラックスして、規律正しくしているね」

ルーマニア人が絶賛した「恥の文化」

作家の太宰治は、評論家の河盛好蔵(かわもりよしぞう)に宛てた手紙の中で、『文化』と書いてそれにハニカミというルビを振りたい」と綴りました。ハニカミとは、日本的な文化の根底をなす一つの性格的要素と言えるのかもしれません。

日本人のメンタリティを表す言葉の一つに「恥の文化」があります。アメリカの文化人類学者であるルース・ベネディクトは著作『菊と刀』の中で、欧米を「罪の文化」と位置付け、一方の日本を「恥の文化」と表しました。

ベネディクトの言う「罪の文化」とは、キリスト教の価値観に基づきながら「神の視線を意識する」という姿勢を指し示します。キリスト教の戒律を破ることに「罪の意識」は設定され、「神に見られている」という感覚の中で行動が決定されていくのが「罪の文化」です。欧米には次のような諺があります。

「God comes with leaden feet, but strikes with iron hands」（神はゆっくり近づくが、打ち据える拳は鉄のように強い）

一方の「恥の文化」は、「世間体や外聞といった他人の視線を気にすること」と定義づけられます。多神教の日本では、神仏よりも「世間の目」へと意識が向かうというわけです。

『菊と刀』には偏った記述も多く、そのすべてを肯定することはできませんが、確かに「恥をかきたくない」という意識が強固に働くのは、大半の日本人に共通する感情

でしょう。かつての武士階級は、恥の意識の結果として死を選ぶことさえありました。現在でも、親が子どもに対して、

「恥ずかしいことをするな」

といった表現でしつけをすることは、日本では極めて日常的な光景だと思います。「罪を犯すな」という言葉よりも多用されているのではないでしょうか。

「恥を知れ」という言葉もよく使われます。また、「自分に恥じない生き方をしたい」といった言い方も広く定着しています。すなわち、恥の意識はベネディクトが指摘したような他者からの視線だけではなく、自身自身の価値観の中からも設定されていくのです。「生き恥」という言葉も、極めて日本的な表現の一つと言えるでしょう。私はこのような「恥の文化」こそが、世界一とも言われる日本の治安の良さや、災害時にも秩序を失わない日本人の行動の根幹に影響を与えていると思います。「恥」という概念を基盤に据える道徳律は、日本人の特徴的な価値体系の一つと言って良いでしょう。

ルーマニア在住時、友人の経済学者が私に言った次のような言葉を今でもよく覚え

ています。

「日本人が『恥の文化』を持っているという話は以前に聞いたことがあったが、タカシが本当に『ルシーネ（ルーマニア語で恥の意味）』という言葉をよく使うので、本当に驚いたよ」

自分では特に意識していなかったのですが、彼が言うにはそれまでの私は、オウム真理教のことや、低迷が続く日本経済のこと、大敗を喫したサッカー日本代表のことなどを「恥」という言葉で表していたというのです。彼は、

「私たちルーマニア人は、そういった文脈で恥という言葉はあまり使わない」

と言うのでした。これは私にとって驚きの指摘でした。そして彼はこう付け加えたのです。

「**恥という考え方は、とてもすばらしい。日本が先進国になった理由がよくわかったよ。**現在のルーマニア社会はヨーロッパで最悪と言われるほどのひどい汚職と高い犯罪率に悩まされているが、私たちは日本人の思想から学ばなければならない。そう、これは本当に『恥ずかしい』ことなのだから」

権力を誇らず

外国の王室が居住する城は、堅牢な壁や深い堀などに囲まれているのが一般的です。しかし、京都の御所にはそれらがありません。街並みの中に溶け込むようにして存在する御所の景観は、皇室と庶民が長年にわたって良好な関係性を築いてきた証しと言えるでしょう。

また、世界史では国内を制した権力者が王を名乗ろうとするのが普通です。しかし、日本では源頼朝も足利尊氏も徳川家康も、天皇の地位に就こうとはしませんでした。これも日本における皇室のあり方を端的に表す象徴的な事柄だと思います。神話につながる血統を有する日本の皇室は、日本人にとってそれだけ特別な存在なのです。

第十六代天皇である仁徳天皇は、難波の高津宮に都を開きました。

即位から四年が経った三一六年、山の上から町や村の様子を眺めた仁徳天皇は、民家から煙が立ち上っていないことに気が付きました。凶作が続いたため、農民の生活は困窮していたのです。日々の炊事ができないほど民衆が苦しんでいることを知った仁徳天皇は、それから徴税をとりやめました。

結果、皇居の垣は崩れ、御殿は雨漏りまでしてしまいましたが、仁徳天皇は少しも気にしませんでした。

三年後、再び山から眼下を見渡すと、今度は多くの民家から煙がもくもくと立ち上っていました。仁徳天皇はとても喜んで、

「朕(ちん)すでに富めり」

と口にされました。

「まつりごとの基本は民。民が富まねば、天子である私も富んだことにはならぬ」

とのお気持ちでした。

しかし、仁徳天皇はそれでもまだ、税の徴収を再開しませんでした。生活が改善した人々は、皇居の修理を請け負いたいと願い出ましたが、仁徳天皇はそれさえも許さなかったのです。

それからさらに三年後、仁徳天皇はようやく徴税を再開し、皇居の修理の許可も与

えました。民衆は喜んで、修繕工事に汗を流したと言います。

その後も仁徳天皇は、河内平野一帯で池や堤などの治水工事を行い、水害を防いで農業の発展に努めました。橋や道も整備して、人々の生活の向上を図ったと伝わります。

そんな仁徳天皇の陵である百舌鳥耳原中陵（もずのみみはらなかのみささぎ）（仁徳天皇陵）は、日本一の規模を誇る前方後円墳。世界最大級の墳墓とも言われ、令和元（二〇一九）年七月にはユネスコの世界文化遺産にも登録されました。エジプトのクフ王のピラミッド、中国の秦始皇帝陵と共に「世界三大墳墓」にも数えられています。

そんな立派な墳墓がつくられた背景には、生前の善政があったのです。

「令和」を英訳すると……

二〇一九年五月一日、日本は新たな元号「令和」の幕開けを迎えました。国民は新時代の到来を悦び、世界のメディアもこの慶事をこぞって大きく報じました。

令和は日本最初の元号である「大化」以降、二百四十八番目の元号にあたります。元号という仕組みは、そもそもは中国が発祥。かつては東アジアなどにも同様の紀年法が存在しましたが、今では元号を有する国家は日本だけになっています。

令和という言葉は、日本最古の歌集である『万葉集』から選ばれました。万葉集の巻五、梅花の歌三十二首の序文にある一文がその典拠です。これは奈良時代初期の天平二（七三〇）年一月十三日、大宰府（だざいふ）の長官であった大伴旅人（おおとものたびと）の邸宅で催された「梅花の宴」の際の様子を描写した表現で、現代日本語訳は以下の通りです。

〈時あたかも新春の好き（令き）月、空気は美しく風はやわらかに、梅は美人の鏡の前に装う白粉のごとく白く咲き、蘭は身を飾った香の如きかおりをただよわせている〉

この場合の「令」とは、「艶（つや）があるように美しい」といった意味を表しています。

『万葉集』は奈良時代末期に成立したとされる和歌集。全二十巻、約四千五百首が収集されていますが、その特徴は天皇や皇族から防人（さきもり）（兵士）、農民の詠んだ歌まで、同じ書の中に平等に収録されていること。このように構成された書は、他の国にはほとんど見られません。日本の国柄がまさに表れていると言えるでしょう。

令和の英訳は「Beautiful Harmony（美しい調和）」。これもいかにも「和のこころ」を大切にする日本らしい言葉の響きです。

また、「令和」を表す手話には「つぼみが開いて花が咲くように指先をゆっくりと開く動き」が採用されました。

ちなみに、これまでの二百四十八ある元号の中で、最も使用された漢字は「永」で二十九回。二番目は「天」と「元」の二十七回で、以下、「治」の二十一回、「応」と「和」の二十回と続きます。歴史の積み重ねの中で、日本人が何を願い、どのような国家を理想としてきたのかが、よくわかる順位と言えるでしょう。

至誠を重んじた渋沢栄一

世界的な経営学者であるピーター・ドラッカーは、日本の実業家・渋沢栄一について次のように述べています。

「私は、経営の『社会的責任』について論じた歴史的人物の中で、かの偉大な人物の一人である渋沢栄一の右に出るものを知らない」

「日本資本主義の父」と呼ばれる渋沢は、天保十一（一八四〇）年二月十三日の生まれ。武蔵国榛沢郡（現・埼玉県深谷市）の出身です。農業の他、藍玉の製造や養蚕などを手がける豪農の家系の長男として生まれました。

若い頃は倒幕運動に奔走した時期もありましたが、その後は一橋（徳川）慶喜に仕え、幕臣に。慶応三（一八六七）年には慶喜の弟である昭武に随行して渡欧し、パリ万博などを見学して西洋の近代化についていち早く学びました。

明治新政府の時代には大蔵省の官吏となり、大蔵大輔である井上馨のもと、貨幣や金融、財政制度の制定と改革に尽力しました。

その後、実業界の指導的な立場となり、日本に株式会社（合本組織）の仕組みを導入。第一国立銀行や王子製紙、帝国ホテル、秩父セメント、サッポロビール、大阪紡績など、実に五百以上もの会社を設立し、日本の資本主義の発展に多大な貢献を果たしました。

また、東京商法会議所（現・東京商工会議所）を設立するなど、財界の組織化にも着手。その他、大学の創設や社会公共事業の立ち上げにも力を尽くしました。

そんな渋沢の持論は「論語と算盤を両立すべき」。渋沢は、

「正しい道徳の富でなければ、その富を永続することができぬ」

「たとえその事業が微々たるものであろうと、自分の利益は少額であろうと、国家必要の事業を合理的に経営すれば、心は常に楽しんで仕事にあたることができる」

「交際の奥の手は至誠である。理にかない調和がとれていれば、ひとりでにうまくいく」

といった多くの名言を残しました。

渋沢は私利私欲のみを追求する生き方に対して、極めて否定的でした。渋沢は公益を追求する「道徳」と、利益を求める「経済」の合一を大きな理念として掲げました。

農家出身の渋沢ですが、彼は「士魂商才」という言葉をよく使いました。渋沢の哲学の土壌には、他者への献身を旨とする日本の武士道があったと考えることができる

でしょう。

このような考え方が、日本だけでなく西洋の経営者にも新鮮な価値観として受け止められ、現代にまで息づいているのです。

海外から高く評された「水師営の会見」

明治三十七（一九〇四）年二月から明治三十八（一九〇五）年九月にかけて、日本とロシアの間で行われた日露戦争は、朝鮮半島や満洲の権益を巡る衝突が原因でした。戦いは日本の勝利に終わりましたが、この結果はそれまでの世界史を塗り替えるほどの衝撃を国際社会に与えました。それは近代において、有色人種が初めて白人に勝利した戦争だったからです。

インド独立運動の指導者であったジャワハルラール・ネルーは、日露戦争に関して「日本の戦勝は私を熱狂させた」と書きました。中国の孫文は「これはアジア人の欧州人に対する最初の勝利であった」「日本は他のアジアの人たちの国際的地位を向上させたのだ」と述べました。日本海海戦でバルチック艦隊を一方的に破った連合艦隊司令長官・東郷平八郎の名前は一躍、世界的に有名となりました。同じくロシアの膨張主義に苦しめられていたトルコでは、「トーゴー」という名前を子どもに付けることが流行しました。

また、この戦争を通じて日本側が国際法を遵守し、礼節を大切にしたことも高く評価されました。例えば、旅順軍港攻防戦の停戦条約が締結される際、乃木希典を代表とする日本側は、ロシア代表のアナトーリイ・ステッセルに対し、その名誉を重んじて帯剣を許し、礼遇をもって迎えました。乃木は明治天皇から「武士の礼をもって遇せよ」とのご意向を受けていたのです。ステッセルはこの対応に感激し、深く謝辞を述べました。

この「水師営の会見」は「日本の武士道精神の発露」と海外メディアからも賞され、両軍の首脳が肩を寄せ合って写る一枚の写真は、世界の人々を感動させました。さらに日本側は、ロシア人捕虜に対して人道的に対応し、日本赤十字社もロシア兵戦傷者の救済に尽力しました。

開国からわずか四十年ほどでロシアを打ち破るまで発展した日本の近代化は、国際社会の耳目を集めることになりました。イギリスでは日本の躍進の理由として「教育勅語」が挙げられました。ドイツのヴィルヘルム二世は、軍の将兵らに対して、「汝(なんじ)らは日本軍隊の精神にならえ」と訓示したと言います。そしてアジア各地では、明治維新を国の発展の手本にしようという機運がより高まっていったのです。

世界で初めて「人種差別撤廃」を提案

公式の国際会議の場で「人種差別の撤廃」を明確に主張した初めての国は、実は日本です。一九一九年、第一次世界大戦後に開かれたパリ講和会議の国際連盟委員会の席において、日本は「国際連盟規約の中に人種差別の撤廃を明記すべき」と主張しました。これがいわゆる「人種的差別撤廃提案」と呼ばれるものです。当時、アメリカやカナダなどでは、日系移民に対する差別的な排斥運動が深刻化。優秀で勤勉な日系移民は「職を奪う存在」と見なされ、差別の目にさらされていました。

もちろん、それは日本人だけの問題ではありませんでした。当時のアジアやアフリカの大半の国々は、欧米諸国の植民地でした。白人による有色人種への蔑視は、極めて重大な問題だったのです。

日本は講和会議後に発足する国際連盟の常任理事国にすでに指名されていました。日本以外の常任理事国はイギリス、フランス、イタリアでした。つまり、日本は有色人種の国家の中で、唯一の大国の立場にありました。

そんな日本が主張したのが「人種差別の撤廃」だったのです。しかし、この提案に対して、各国の反応は分かれました。日本は二月に最初の提案を行い、四月に修正案を提出。採決ではフランス、イタリア、ギリシャ、中華民国、ポルトガル、チェコスロバキアなど計十一名の委員が賛成票を投じましたが、イギリスやアメリカなどの五名が反対にまわりました。多くの植民地を抱えるイギリスや、国内に黒人差別が定着していたアメリカは、日本の提案に耳を貸しませんでした。それでも結果としては賛成票のほうが多かったわけですが、アメリカのウッドロウ・ウィルソン大統領は、

「全会一致でないため、提案は不成立である」と一方的に宣言したのです。

日本は国際社会の現実を痛感しました。以後、日本国内において「そのような国連になど参加する必要はない」といった世論が広がったのも、自然な国民感情であったと思います。

それから五年後の一九二四年、アメリカで「排日移民法」が成立。当時の日本国民の対米感情は、悪化の一途をたどりました。昭和天皇は独白録の中で、このような歴史的経緯が後の戦争の遠因になった旨を明らかにされています。

プーチン少年を更生させた柔道の心

空手や柔道といった日本の武道は、すでに世界的な存在となっています。

そもそも武道とは何でしょうか。日本武道協議会は次のような「武道の定義」を制定しています。

より良い作品づくりのために皆さまのご意見を参考にさせていただいております。
ご協力よろしくお願いします。

A. 本書を最初に何でお知りになりましたか。

1. 新聞・雑誌の紹介記事(新聞・雑誌名　　　　　　) 2. 書店で実物を見て　3. 人にすすめられて
4. インターネットで見て　5. 著者ブログで見て　6. その他(　　　　　　)

B. お買い求めになった動機をお聞かせください。(いくつでも可)

1. 著者の作品が好きだから　2. タイトルが良かったから　3. 表紙が良かったので
4. 内容が面白そうだったから　5. 帯のコメントにひかれて　6. その他(　　　　　　)

C. 本書をお読みになってのご意見・ご感想をお聞かせください。

D. 本書をお読みになって、
良くなかった点、こうしたらもっと良くなるのにという点をお聞かせください。

E. 著者に期待する今後の作品テーマは?

F. ご感想・ご意見を広告やホームページ、
本の宣伝・広告等に使わせていただいてもよろしいですか?

1. 実名で可　2. 匿名で可　3. 不可

ご協力ありがとうございました。

郵便はがき

料金受取人払郵便

芝局承認

6889

差出有効期限
2020年12月
31日まで
(切手は不要です)

105-8790

東京都港区虎ノ門2-2-5
共同通信会館9F

216

株式会社 文響社 行

フリガナ	
お名前	
ご住所 〒 都道府県 区町市郡 建物名・部屋番号など	
電話番号	Eメール
年齢 才	性別 □男 □女
ご職業(ご選択下さい) 1. 学生〔小学・中学・高校・大学(院)・専門学校〕 2. 会社員・公務員 3. 会社役員 4. 自営業 5. 主婦 6. 無職 7. その他( )	
ご購入作品名	

〈武道は、武士道の伝統に由来する日本で体系化された武技の修練による心技一如の運動文化で、心技体を一体として鍛え、人格を磨き、道徳心を高め、礼節を尊重する態度を養う、人間形成の道であり、柔道、剣道、弓道、相撲、空手道、合気道、少林寺拳法、なぎなた、銃剣道の総称を言う〉

中でも柔道の人気は世界中に広く定着。日本の柔道人口は十五万人ほどですが、フランスでは実に六十万人にも達しています。フランスでは「日本柔道の父」こと嘉納治五郎が提唱した精神を基礎として、礼儀、勇気、友情、誠意、名誉、謙虚、自制、尊敬の八つの要素が特に重要視されています。日本柔道が大切に育んできた「心の鍛錬」という概念が、フランス人に受容されているのです。

私が以前に暮らしていたルーマニアでも、地方の小さな町でさえ柔道場があり、子どもたちが、「イチ、ニ」などと声を出しながら汗を流していました。

ロシアのプーチン大統領は、柔道家としても有名。段位は八段で、国際柔道連盟（IJF）の名誉会長も務めています。不良少年だった彼を立ち直らせたのが、柔道との出会いだったとも言われています。プーチンの尊敬する人物は、日本の柔道家でロサンゼルスオリンピック金メダリストの山下泰裕氏です。

また、空手も世界各地で多くの愛好家を集めています。現在、世界空手連盟に加盟している国は百八十七カ国。本部があるのは、スペインのマドリードです。中国の拳法が琉球王国（沖縄）に伝わり、その後に独自の発展を遂げたとされる空手ですが、東京五輪・パラリンピックでは晴れて正式種目となり、さらに脚光を浴びることになるでしょう。

世界各地で親しまれている柔道や空手ですが、外国人が自分の子どもに武道を習わせる動機には、「礼儀を学んでほしい」「謙虚さを身につけてほしい」といった理由が多いようです。

内面世界の充実や、豊かな精神性の涵養を大切にする日本の武道が、世界を魅了しているのです。

世界的ベストセラーとなった『武士道』

ハーバード大学で人気を集めている講義の一つに「サムライから学ぶ人生論」があります。テキストには江戸時代の歴史家である頼山陽（らいさんよう）の『日本外史』や、谷崎潤一郎の『武州公秘話』などが使われる他、黒澤明の名作『蜘蛛巣城（くものすじょう）』も議論のテーマにあがります。これらを教材として、学生たちは忠義や公正、義理、生きる意味の本質などについて学んでいきます。

「武士道」という言葉が指し示す概念は広範に及びますが、概して「日本の封建社会において、武士階級が有した倫理や道徳などの思想体系」といった意味を表します。その源流は鎌倉時代にまで遡り、とりわけ江戸時代には朱子学を中心とする儒教の影響を強く受けた結果、観念論として独自の理念が発展しました。

「武士階級は社会全体から見ればわずかな割合に過ぎず、日本人の一般的な性格を表す思想とは言えないのでは？」

と思う向きもあるかもしれませんが、武士道という思想は歌舞伎や能、読本といった文化を通じて庶民の間に広く受容され、武士以外の階級の人々にも大きな影響を与えていました。総じて武士道は日本人全体に根付いた価値体系であったのです。

そんな武士道を海外に知らしめたのは、新渡戸稲造（にとべいなぞう）でした。かつては「五千円札の肖像画」にもなっていた新渡戸は、文久二（一八六二）年、陸奥国岩手郡（現・岩手県盛岡市）の生まれ。札幌農学校を卒業した後、アメリカのジョンズ・ホプキンズ大学に留学しました。そんな新渡戸が目指したのは「太平洋の架け橋」となることでした。

新渡戸は経済や農政、法律、英文学などを学び、その後にドイツに留学。帰国後、母校の札幌農学校で教授を務めました。

新渡戸は一八九九年、アメリカで『BUSHIDO――The Soul of Japan』を英文で出版。出版のきっかけは、ベルギー人のとある法学者から、

「宗教教育のない日本では、どうやって道徳を授けるのか」

と聞かれたことでした。新渡戸はその答えを武士道に求めたのです。

同書はアメリカでの出版後、ドイツやフランス、イタリア、ロシアなど、英語圏以

外の国や地域でも次々と翻訳され、世界的なベストセラーとなりました。セオドア・ルーズベルトやジョン・F・ケネディも愛読者だったと言われています。

キリスト教徒（クエーカー）でもあった新渡戸は、武士道をキリスト教や騎士道と丁寧に比較しながら、日本の武士階級が特に重んじた価値として、義、勇、仁、礼、誠、名誉、忠義という七つの徳目を挙げました。

『ラスト・サムライ』などのハリウッド映画を観てもわかるように、外国人は「侍」の人生の中に、人としての理想の生き方を投影します。そのような行為は、西洋文明に足りない部分を補おうとする心的欲求の一つとも言えるでしょう。西洋文明の行き過ぎた物質主義に疑問を感じる人々は、武士道が重視する精神の高潔性に強く惹かれるのです。また、「個」よりも「公」を重んじる武士道の精神は、西洋的個人主義への批判、反省という文脈でもしばしば語られます。

同書は現在、三十カ国以上の言語に翻訳されています。

「もったいない」の精神

日本発の国際語の一つに「もったいない」があります。「もったいない」は日本では日常的に使われてきた言葉ですが、同等の概念を伝える言葉は英語やフランス語といった世界の主要な言語には存在しません。その語感には、日本人独特の精神性や価値観が色濃く反映されています。

環境分野で二〇〇四年にノーベル平和賞を受賞したケニア人のワンガリ・マータイさんは、訪日時に「もったいない」という言葉を知り、

「物を大切にし、心豊かに生きてきた日本人の心・生き方そのものだ」

と深い感銘を受けました。その後、マータイさんは「もったいない」を世界の共通語として広めていく運動を提唱。「もったいない」は地球環境に負荷をかけない生活スタイルを実現するための「世界的な合言葉」になりました。

マータイさんは「もったいない」という言葉の意味を「四つのＲ」で解釈しました。すなわち、リデュース（消費削減）、リユース（再使用）、リサイクル（資源再利

用）、リペア（修理）の四つです。

この四つの要素は、日本人が伝統的に受け継いできた習慣そのものと言えます。古来、すべての物の中に神の存在を見出してきた日本人は、道具を過剰につくらず、使い回し、再利用し、修繕して使ってきました。江戸時代には壊れた陶器を直す「焼接（やきつ）ぎ」や、古くなった鏡を磨く「鏡研ぎ」といった職人が多くいました。古典落語にも出てくる「くず屋」は、古着や古道具を安く買い集める商売。「くず屋」が集めた物は、古着屋や古道具屋などに卸されます。物を大切に扱うそのような姿勢や社会構造が、二十一世紀の国際社会で高く評価されているのです。

ただし、近年の日本人が本当に「もったいない」の理念を日々の営みの中で実践できているかと言えば、心もとない部分もあるでしょう。かつてはお米を一粒でも残すと、「目がつぶれる」と目上の人から諭されたものですが、最近ではそのような言い回しは死語になりつつあります。「もったいない」という言葉の重要性をより深く認識しているのは、実は海外の人々のほうなのかもしれません。

マータイさんはその後、二〇〇九年に国連平和大使に任命され、さらなる活動を継続。しかし、二〇一一年九月二十五日、卵巣がんにより七十一歳でこの世を去りました。

彼女が広めた「もったいない」を死語にしてはいけません。

哲学者ハイデガーが絶賛した『歎異抄』

鎌倉時代後期に書かれた『歎異抄（たんにしょう）』は、世界各地で愛読されている仏教書。作者についてはいくつか説がありますが、一般的には親鸞（しんらん）の弟子である唯円（ゆいえん）（河和田の唯円）とされています。

『歎異抄』の特徴は、宗派を超えて読み継がれていること。西田幾多郎や吉本隆明も『歎異抄』が自身の思想に影響を与えたことを述べています。

司馬遼太郎は戦時中に『歎異抄』を読んだと言います。司馬は『歎異抄』について「真実のにおいがする」と表現し、

「無人島に一冊の本を持っていくとしたら『歎異抄』だ」

とも語っています。

鎌倉時代初期、それまで主に貴族階級が独占していた仏教という存在が、庶民の間に急速に広まりました。その中心にあったのが、法然による浄土宗です。そして、その思想をさらに深めたのが、浄土真宗の開祖・親鸞でした。彼らの手によって、日本の仏教は独自性を強めながら発展していきました。日本人は漢字から仮名文字を発明したように、外国から取り入れたものを日本流に進化させるのが得意な民族ですが、仏教という宗教さえもより深く熟成させていったのです。

親鸞は「善人よりも悪人こそが救われる」とする「悪人正機」や、「自力による修行ではなく、阿弥陀如来の本願力に身を委ねよ」とする「他力本願」といった独創性溢れる新たな教えを説きました。

親鸞の死後、その教えの新しさゆえ、信徒たちから多くの異議が生まれました。そんな状況を憂いた唯円が、生前の親鸞から聞いた言葉をもとに異議への反論として記したのが『歎異抄』です。『歎異抄』には生死の迷いに関する親鸞の慈愛や苦悩が、格調高い文体で綴られています。

『歎異抄』は現在、英語や中国語、韓国語などに翻訳されています。とりわけ親鸞の思想の真髄とも言われる「善人なをもて往生をとぐ、いはんや悪人をや」という悪人正機の考え方には、深遠な「パラドックス」として多くの関心が寄せられています。

悪人正機という思想の要諦は「自力で修めた善によって往生しようとする者を仏は救ってくれるが、煩悩具足にまみれた我らこそ仏の救いの主な対象となる」というもの。親鸞は「仏の目から見れば、すべての人は根源的に悪人」とした上で、自らをも悪人の側に置きました。

「二十世紀最大の哲学者」と言われるドイツのマルティン・ハイデガーはその晩年、『歎異抄』を読んで親鸞の思想に深い感銘を受けました。ハイデガーはこう述べています。

「もし十年前にこんな素晴らしい聖者が東洋にあったことを知ったら、自分はギリシャ・ラテン語の勉強もしなかった。日本語を学び聖者の話を聞いて、世界中に拡めることを生きがいにしたであろう」

「私が死んだら、川に捨てて魚に与えよ」と語ったという親鸞の思想は、今も民族や宗教の違いを超えて、多くの人々の心を揺さぶり続けています。

和食は日本人の心の映し鏡

「和食」はすでにブームの域を超え、国際的な定番料理となっています。

二〇一三年には「和食（日本人の伝統的な食文化）」がユネスコ無形文化遺産に登録されました。同年に世界の日本食レストランの数は約五万五千軒でしたが、二〇一七年には約十一万八千軒にまで増加。年平均21・1％という驚異的なスピードで急増しています。

日本の国土は南北に長く、海にも山にも恵まれているため、季節ごとに多彩な食材が揃います。また、花や葉などを使って繊細に料理を盛り付ける点も、「日本食は目でも楽しめる」として、SNS上で広く拡散される要因となっています。

近年では、寿司や天ぷら、すき焼き、鉄板焼きといった定番料理だけでなく、ラーメン、うどん、焼き鳥、たこ焼き、お好み焼きといったメニューも知名度を上げています。「弁当（Bento）」という言葉も、すでに世界で通じる言葉となりました。

また、和食に欠かせない日本酒も、「Sake」として国際語に。岩手県の名酒「南部美人」は「サザンビューティー」の名称で、欧米諸国はもちろんUAE（アラブ首長国連邦）といった中東地域でも人気を博し、エミレーツ航空の国際線の機内酒にも採用されています。

日本酒の蔵元の間には「和譲良酒（わじょうりょうしゅ）」という言葉が古くから伝わります。南部美人の五代目蔵元・久慈浩介さんはこう語ります。

「例えば、日本で最も高価な原材料を使えば良い酒ができるかと言えばそれは違う。また、天才杜氏が一人いれば良い酒ができるかと言うとそれも違うんです。『和をもって造る酒こそ良い酒である』ということを、昔の人たちは身をもって知っていたのでしょう」

日本酒の穏やかな妙味の中には、日本人の伝統的な「和のこころ」が宿っているのです。

第4章

日本人は心に慈しみの太陽を持つ

日出ずる国

ルーマニア語には、日本のことを「ツァーラ・ソアレルルイ」と呼ぶ表現があります。これは「太陽の国」「日出ずる国」といった意味にあたります。

以下は、ルーマニア在住時の話です。

友人たちと夜明けまで深酒した際、一人のルーマニア人が明るくなりつつある東の空を指差し、こう言って微笑みました。

「君の国は、あの下にあるんだね」

「日の丸」が、日本の国柄を表すのにふさわしい国旗であることを改めて感じ入った瞬間でした。

日本人は古来、太陽を信仰の対象としてきました。皇祖神である天照大神（あまてらすおおかみ）は太陽神です。

飛鳥時代末期には、国号が「日本（日ノ本）」と命名されました。

ちなみに、日本では太陽を「赤色」で描くのが一般的ですが、これは世界的には実は少数派。アメリカやヨーロッパ諸国において太陽の色として主に使われるのは「黄色」です。

このような色彩感覚の違いは、その国の位置する場所や気候の他、瞳のメラニン色素の量の違いも原因の一つだと考えられています。

そういった背景も手伝って、多くの外国人の目には「白地に赤」の日章旗は極めて神秘的な意匠に映ります。私たちが普段、当たり前だと思っている色彩の感覚にも「日本人らしさ」は反映されています。

さらに日章旗は「簡素な構図の中に美しさがある」「わび・さびに通じる」などと称されることも多くあります。

以下は色彩感覚に関する余談ですが、「虹」の描き方も国によってかなり異なります。日本では虹を七色で描きますが、アメリカやイギリスでは六色、ドイツやフランス、中国では五色です。ロシアではわずか四色となります。虹の中に多彩な色彩を見出す日本人の感性は、独特の繊細な感覚の賜物かもしれません。

また、日本人は川を青色で描きますが、中国の長江沿岸で暮らす人々は赤色を使います。長江は深い赤土色をたたえた大河です。

日本人が川を青色で描くのは、日本の国土を流れる川が美しい清流であることの表れと言えるでしょう。

近年、中国では大気汚染の影響から、空を灰色で描く子どもが増えていると聞きます。子どもたちが灰色で空を描くような社会にはしたくないものです。

王朝が滅びない世界最古の国

宮崎県の最北端に位置する高千穂町は「日本神話」の町。

諸説ありますが、天照大神の孫である瓊瓊杵尊(ににぎのみこと)は、高天原(たかまがはら)からこの地に降臨したとされています。いわゆる「天孫降臨」です。高千穂町には、天照大神が弟の素戔嗚尊(すさのおのみこと)のいたずらに怒って引きこもったという「天岩戸」もあります。

近年、そんな高千穂町を訪れる外国人観光客が増えています。日本の神話に興味を抱く外国人が、こぞって「神話の里」を訪れているのです。

そんなインバウンド客の関心をとりわけ集めているのが、高千穂名物の夜神楽。古くからこの地に伝わる高千穂神楽は、その年の収穫への感謝と翌年の豊穣を願って奉納される神楽ですが、その神秘的な舞と音楽が多くの外国人の心をとらえています。会場には英語や中国語などのパンフレットも用意され、神楽の概要がわかるようになっています。

日本は「世界最古の国」とも言われます。

『古事記』や『日本書紀』によれば、天照大神の五世孫である神武天皇が初代天皇に即位して日本を建国したとされています。ただし、「神武」というのは後に贈られた諡号（おくりな）で、名は「神日本磐余彦」です。

神武天皇が橿原宮で即位したのは、西暦で言うと紀元前六六〇年。以後、一度も国（王朝）が滅びることなく続いています。神武天皇の即位日の二月十一日が建国記念日です。

二〇一九年、中国は「建国七十周年」を祝いましたが、これは歴史の過程で何度も国体が代わっていることを意味しています。ヨーロッパ諸国も同様の理由で、日本の歴史に遠く及びません。オーストリアのハプスブルク家は第一次世界大戦の敗戦によって、カール一世（ハンガリー王としてはカルル四世）の代で崩壊しました。ロシアのロマノフ朝は、社会主義革命であるロシア革命によって滅亡を迎えました。王朝が途絶えると祭祀（さいし）や儀礼などの伝統文化が途絶えてしまうことが多いのですが、日本はそういった道を歩まずに今に至っています。

西暦二〇二〇年は、日本の皇紀（神武暦）で言うと二六八〇年。現在の天皇陛下は百二十六代にあたります。

ちなみに、イギリス王室のエリザベス二世は四十二代目。日本の皇室がいかに長い伝統を有しているかがよくわかるでしょう。

現在、日本の天皇家は「世界最古の王室」として、ギネスブックにも認定されています。

海外の人々からすると、日本は「世界最先端の技術を誇る国」であると同時に「世界最古の伝統を有する国」。この両面が共存した不思議な国に映ります。

世界最古の国ランキング

1位	日本	紀元前660年〜
2位	イラン	紀元前550年〜
3位	中国	紀元前221年〜
4位	サンマリノ	301年〜
5位	フランス	486年〜
6位	ノルウェー	872年〜
7位	イギリス	927年〜
8位	デンマーク	965年〜
9位	ポルトガル	1143年〜
10位	タイ	1238年〜

(CIA公式ホームページ「独立」の項目より作表：https://www.cia.gov/library/publications/resources/the-world-factbook/fields/305.html)

大坂なおみのユーモアと心遣い

女子プロテニスプレイヤーの大坂なおみ選手は、大阪府大阪市の出身。三歳の時にアメリカのニューヨーク州ロングアイランドに移住しました。

父親はハイチ共和国出身のハイチ系アメリカ人、母親は北海道出身の日本人です。二〇一八年までは日米の二重国籍でしたが、二〇一九年に日本国籍を選択したことを明らかにしました。

二〇一八年、全米オープンで優勝。二十歳の若さで、グランドスラムのシングルス初優勝という偉業を成し遂げました。これは日本テニス界にとって、初めてとなる快挙でした。

二〇一九年には、男女を通じてアジア人初となる「世界ランキング一位」を獲得。現在、「世界で最も有名な日本人アスリート」の一人となっています。

そんな大坂選手は、ユーモアのあるインタビューでも人気者に。二〇一六年、記者会見の場で「今後の目標」を聞かれた際にはこう答えました。

「To be the very best, like no one ever was.（史上最強になりたい。誰もなったことがないくらいに）」

そして、大坂選手はこう続けたのです。

「すいません、今のはポケモンのテーマソングの引用です」

そんな愛嬌溢れる受け答えの反面、シャイで恥ずかしがり屋な人となりは、「日本人らしい」と評判になっています。

二〇一八年の全米オープン決勝戦では、セリーナ・ウィリアムズ選手の審判への猛抗議によって試合が一時中断するなど、会場はブーイングも巻き起こる波乱の展開となりましたが、この試合を制して優勝を果たした大坂選手は試合後のインタビューでこう口にしました。

「みんなセリーナを応援していたのを知っています。こんな終わり方でごめんなさい」

そして、大坂選手はこんな言葉で締めくくりました。

「セリーナと全米の決勝で対戦するのが夢でした。プレーしてくれてありがとう」

大坂選手の謙虚な心遣いに満ちたこのコメントによって、それまで騒然としていた会場は温かな拍手に包まれました。このインタビュー映像は、瞬く間に世界中に拡散。「スポーツ史に残るすばらしいコメント」として、多くの称賛を集めたのです。

イチローの道具を大切にする心

伝統的に「すべての物には魂が宿っている」と考える日本人。そこから派生する日本人独特の思考法や行動規範は、時に海外の人々を深く感嘆させます。

アメリカのメジャーリーグで長年にわたって活躍したイチロー氏は、バットやグローブを常に自分の身体の一部のようにして扱いました。そんな姿は渡米当初、周囲から冷笑されることとさえあったと言いますが、イチロー氏が実績を伸ばしていくにつれて、そのスタイルは「真似される対象」になりました。イチロー氏は「道具を管理するプロ」でもあったのです。

イチロー氏は打った後、打席でバットを投げません。必ずグラウンドに優しく置いてから走り出します。試合後には時間をかけて、道具の手入れを黙々と行います。

「どうしたら野球がうまくなるか」という野球少年からの質問に対しては、

「道具を大切に」

と答えています。

日本の野球界では、道具を大切にする姿勢がとりわけ重要視されています。練習中、日本人選手はグラウンドに転がっているボールを足で蹴って集めたりしません。これも日本球界では当たり前のことですが、世界的には稀有な行動です。

今ではこういった日本の野球が「学ぶべき手本」として、海外のプレイヤーに浸透し始めています。

無論、道具を尊ぶ日本人の姿勢は、野球界だけにとどまりません。

折れたり曲がったりして使えなくなった縫い針を神社などに納めて供養する「針供養」の伝統は、平安時代にまで遡ります。庶民の間に広く定着したのは江戸時代中期以降とされ、対馬では針を紙で包んだり、鹿児島では針を豆腐やコンニャクに刺すなど、地方によって様々な供養の仕方があります。

その他、日本には筆供養や人形供養といった風習も残ります。道具の中に魂の存在を認め、それに感謝する謙虚な態度は、「日本人らしさ」の一つと言えるでしょう。

道具を重んじる態度は、

「物に執着する」

こととは異なります。日本人は道具の中に「こころ」を感じ取るのです。

箸や茶碗、鍋、布団といった日用品に「お」という丁寧語を付けて呼ぶのも、日本ならではの言語文化とされています。

ドクさんの感謝

二〇一七年三月、ベトナムをご訪問された天皇皇后両陛下（現・上皇上皇后両陛下）と面会を果たしたのがグエン・ドクさん。

双子の兄であるベトさんと共に「ベトちゃん、ドクちゃん」の愛称で親しまれたドクさんは、ベトナム戦争中に米軍が使用した枯葉剤の影響と見られる「結合性双生児」として生まれました。ベトさんと下半身が繋がった状態で生まれたのです。ベトナムでは猛毒のダイオキシンを含む枯葉剤の影響により、約三十万人が健康被害を受けたとされています。

一九八八年、ベトさんが急性脳症によって意識不明の重体となったため、二人は分離手術を受けることになりましたが、ホーチミンで行われたこの手術を支援したのが日本赤十字社でした。日本から四名の医師が派遣され、当時の最先端の医療技術によって手術は行われました。十七時間に及ぶ大手術の結果、二人の身体は奇跡的に分離に成功。ベトさんには左足、ドクさんには右足が残されました。その後、日本から義足が提供されました。

以降、ベトさんは寝たきりの状態が続きましたが、ドクさんは中学校に入学。その後、ドクさんはプログラミングなどを学び、病院の事務職の仕事に就きました。二〇〇六年には結婚もしています。

しかし、二〇〇七年、兄のベトさんが腎不全と肺炎の併発により逝去。二十六年間の生涯を閉じました。

二〇〇九年には、ドクさんの妻であるテュエンさんが、男女の双子を出産。日本への感謝の気持ちを込めて、富士山と桜にちなんだ名前が付けられました。

また、東日本大震災後にも来日し、被災した障害者たちを励ましました。

その後、ドクさんはホーチミンにて日本風飲食店を開店。

店の名前は、

「ドク　ニホン」

と名付けられました（ドクさんの体調不良などを理由に現在は閉店）。

ドクさんは日本への感謝の気持ちを今も忘れていません。分離手術から三十年が経ったことを記念して催された式典の際、ドクさんはこう語りました。

「日本の友人はいつも私をサポートしてくれて、僕の人生を見守ってきてくれた。皆に感謝しています」

サラエボを走る「JAPAN号」

バルカン半島に位置するボスニア・ヘルツェゴビナは、ユーゴスラビア内戦によって多大な犠牲者を生んだ国。セルビア系住民、クロアチア系住民、ムスリム系住民の間で勃発した激しい紛争により、首都のサラエボだけで一万人以上、全土で約二十万人もの死者が出たと推計されています。この紛争は「第二次世界大戦後のヨーロッパにおける最大の惨劇」とも言われています。そんなボスニア紛争は一九九五年十二月、デイトン和平合意の成立によって、ようやく終結しました。

日本は紛争終結後の一九九六年二月、同国と速やかに外交関係を樹立。日本は和平履行評議会の中心的な役割を担う運営委員会のメンバーも務めました。日本は一貫してボスニア・ヘルツェゴビナを手厚く支援しました。

二〇〇一年に私が同国を訪れた際、いまだ多くの家屋が廃墟のままでした。街は世界中から集まった治安維持部隊の兵士たちで溢れていました。

そんなサラエボで目立っていたのが「JAPAN」の文字が描かれたバスでした。

日本のODA（政府開発援助）によって供与された車両です。市民に話を聞くと、

「あのバスありがとうな。本当に助かっているよ」

「一番苦しい時に助けてくれたのが日本だった」

といった声を多く耳にしました。

その後、ボスニア・ヘルツェゴビナは二〇一四年に大規模な洪水被害に見舞われましたが、この時も日本はすぐに支援に動きました。二〇一七年には日本のODAによって、八十台のハイブリッド車が同国の福祉施設に寄贈されています。

日本人にとっては、サッカー日本代表の監督を務めたイビツァ・オシム氏や、バイド・ハリルホジッチ氏の出身国としても知られますが、サッカーを通じた両国の友好関係も多方面で進んでいます。同国南部に位置するモスタルという街では、元サッカー日本代表の宮本恒靖氏の主導により、スポーツアカデミーが開設されました。ODAを活用するかたちで、この地のサッカー場やクラブハウスの改修も行われました。

同アカデミーでは、多くの子どもたちが民族の壁を超えてサッカーを楽しんでいます。

サラエボ市内を走るバス。日本から寄贈された際には、バス会社が「日本が支援したみんなのバスを大事に使おう」というテレビCMを流した。

台湾で廟に祀られている日本軍人

台湾の南西部に位置する台南市には、とある日本人を祀った「飛虎将軍廟（ひこしょうぐんびょう）」と呼ばれる廟があります。廟の正式な名称は「鎮安堂 飛虎将軍」。「飛虎」とは「戦闘機」という意味を表します。祀られているのは、杉浦茂峰という元海軍兵士です。

杉浦は大正十二（一九二三）年十一月九日、茨城県水戸市の生まれ。海軍飛行予科練習生（予科練）を経て、操縦士として台南に赴任しました。

昭和十九（一九四四）年十月十二日、「台湾沖航空戦」が勃発。アメリカ海軍空母機動部隊が、台湾から沖縄に及ぶ日本の航空基地に対し、大規模な攻撃を開始しました。

台南の上空にも、米軍機が姿を現しました。その数、約四十機。これを迎撃すべく、日本側もすぐに戦闘機を出撃させました。こちらは延べ約三十機です。その中には、杉浦が操縦する零戦三十二型もありました。この時、杉浦は二十歳でした。

両軍機による激しい空中戦が始まりました。杉浦の乗った零戦は果敢に戦いました

飛虎将軍廟。入り口には日本語で「歓迎 日本国の皆々様 ようこそ参詣にいらっしゃいました」の幕が。

が、やがて尾翼部の辺りに被弾。機体は黒煙を上げながら、徐々に高度を落としていきました。

機体が落下していく先には、大きな村がありました。村人たちは、

（このままでは村が大変なことになる）

と思いました。人命にかかわる被害が出るかもしれないし、大規模な火災が起きる可能性もありました。この村の大半の住居は、竹を用いて建てられた家屋だったのです。

しかし、程なくして村人たちの憂慮は、大きな感嘆に変わりました。降下を続けていた零戦が機体を立て直し、おもむろに軌道を変えたのです。結局、その零戦は村の東側を飛び去って行きました。

その直後、その零戦から落下傘が開きました。杉浦が機体から脱出したのです。その後、零戦は爆発しました。

しかし、杉浦の落下傘の背後には、すでに米軍のグラマンＦ６Ｆが迫っていました。無数の銃弾が落下傘を破り、杉浦の身体は加速しながら地面へと落ちていきまし

た。

　杉浦は二十年という短い生涯をこうして終えたのです。杉浦の落下した現場を目撃したという一人の老女は、私にこう証言してくれました。

「彼の身体は仰向けになって倒れていました。両手両足を広げて、まるで漢字の『大』のような姿でした」

　以上のような一連の光景を目の当たりにした村人たちは、口々にこう言い合ったそうです。

「機体が村に直撃するのを避けようとして、あの搭乗員は逃げ遅れた」

　戦後、村人たちは杉浦への謝意を表すため、廟をつくって祀りました。台湾の人々にとって「廟を建てる」ことは、最大限の感謝の気持ちを表す行為です。

　現在、杉浦にまつわる話は「他人をどうやって助ければ良いか」という手本の一例として、地元の小学校でも教えられています。さらには、杉浦の功績を紹介する冊子や、彼を主人公とした演劇までつくられています。

パラオ島民を危機から救った男

太平洋に浮かぶ楽園・パラオ諸島。この美しい島々は、スペインやドイツの植民地として長く搾取の対象とされた負の歴史を有しています。しかし、第一次世界大戦後のパリ講和会議において、これらの島々は日本の委任統治領に編入されました。日本は以降、学校や病院、道路、港湾施設の建設など、島内の開発に力を尽くしました。

そんなパラオですが、第二次世界大戦時には最前線の戦場と化しました。パラオ南部のペリリュー島に駐屯する約一万人の日本軍守備隊に対し、上陸作戦を敢行してきた米軍の総兵力は延べ約四万二千人。戦力の差は明らかでした。

そんな戦闘を指揮したのが、歩兵第二連隊長だった中川州男（くにお）という人物です。中川は明治三十一（一八九八）年一月二十三日、熊本県玉名郡で生まれました。陸軍士官学校を卒業した後、日中戦争の最前線で戦功を上げて出世した「叩き上げ」の軍人です。

そんな中川は米軍のペリリュー島上陸作戦が始まる前、島民たちに他島への疎開を指示しました。民間人である島民に被害が及ばないようにするための措置でした。また、日本軍はあらかじめ、島じゅうに地下壕を張り巡らせました。日本軍はこれら地下壕を駆使して、米軍の上陸部隊を迎撃したのです。

結局、日本軍の奮戦は七十四日間に及びました。中川は最期、集団司令部に宛てて、

「サクラ、サクラ、サクラ」

と打電。玉砕を告げる符号でした。その後、中川は自決。享年四十六。

平成二十七（二〇一五）年四月、天皇皇后両陛下（現・上皇上皇后両陛下）がパラオをご訪問し、ペリリュー島に建つ「西太平洋戦没者の碑」に献花されました。私は両陛下のこの「慰霊の旅」に同行取材する僥倖（ぎょうこう）に恵まれましたが、ペリリュー島ではかつての疎開指示に対する感謝の言葉を多くの島民から聞くことができました。

パラオの元大統領である日系パラオ人のクニオ・ナカムラ氏は、私の取材に対して次のように答えてくれました。

「私の父親は日本人、母親はペリリュー島出身のパラオ人でした。戦時中、両親はペ

リリュー島に住んでいましたが、私が一歳の時に日本軍の命令によってパラオ本島に疎開しました。もしも、あの時、一家で疎開していなかったら、おそらく私は今ここにいないでしょう」

現在でもパラオの人々の中には**「日本とパラオは兄弟」**という意識が強くあります。パラオの国旗は、日本の日章旗とよく似た「月章旗」です。

日本人の心根にある八百万信仰

「日本人は無宗教」としばしば言われます。しかし、クリスマスを楽しみ、除夜の鐘を聞き、初詣に向かう日本人の姿は、「無宗教」というよりも「多宗教」と表したほうが良いのかもしれません。

日本では家などを新築する際、地鎮祭や上棟祭を行って神々に祈りを捧げます。土地の神々に工事の無事を祈る神事です。こうした伝統的な儀式は、日本人の生活の中に深く定着しています。

日本では社内に神棚を設けている企業が少なくありません。時代の最先端を行くIT企業の経営者でも毎日、神棚に手を合わせているという人が多いのです。そのような行為は、宗教的な動機というよりも「今日もありがとうございます」「おかげさまで」といった感謝の気持ちから生じている場合が一般的です。

グローバル企業であるパナソニックの本社の一角には、鳥居や祠（ほこら）を有する立派な神社が設けられています。本社別館には「司祭室」が設置され、「祭祀担当」の肩書を持つ社員もいます。祭祀担当社員は、関西エリアにある二十四カ所の「社内社」の祭祀を受け持ちます。全国の事業所にある社は、約百カ所にも及びます。

近年、日本の神社には外国人観光客が多く集まります。「トリップアドバイザー」が二〇一九年に調査した「外国人に人気の日本の観光スポット」で堂々の第一位に輝いたのは、京都府京都市の伏見稲荷大社でした。また、第三位には厳島神社を含む広島県の宮島がランクインしています。

その一方、日本の多くの家屋には仏壇もあります。外国人からすると神棚との関連性に矛盾を感じることになりますが、日本人の感覚としては違和感はありません。仏教が広く日本に入ってきたのは飛鳥時代ですが、以降、土着の神道との調和は見事に達成されていきました。世界史の多くの事例を考えれば、熾烈な宗教戦争が勃発してもおかしくないところです。概して言うと、一神教は他の宗教に対して排他的になりがちですが、八百万信仰を持つ日本人は様々な考え方に寛容な人々であったと言えます。神道と仏教は衝突することなく、日本人の営みや風習の隅々にまで浸透していきました。

現在、日本人に「特定の宗教を信仰しているか?」と聞けば、多くの人が「いいえ」と答えるでしょう。「日本人=無宗教論」はこうした事情から生まれています。海外で「無宗教」と言えば「神をも恐れぬ者」というイメージで軽蔑の対象にさえなりえますが、日本人の場合はこうした「無宗教者」とは内実が大きく異なります。

総じて日本とは「生活の中に様々な信仰が多様性をもって混じり合う国」と言えるでしょう。

スティーブ・ジョブズも愛した禅の精神

アップル社の共同設立者であったスティーブ・ジョブズは、「禅」の愛好家でした。ジョブズは禅の精神を深く信奉し、それが同社の製品にも影響を与えたと言われています。確かにアップル製品のシンプルで洗練された雰囲気は、禅の趣きを漂わせているようにも感じます。

曹洞宗の僧侶であった乙川弘文（おとがわこうぶん）（旧姓・知野）を師と仰いだジョブズは、アメリカに禅を紹介した第一人者である鈴木俊隆とも対面。禅の教えを経営の指針として積極的に取り入れました。

ジョブズは二〇一一年に膵臓がんによって他界しましたが、「ジョブズが信奉した禅」はIT系のベンチャー企業に一種のブームを巻き起こしました。海外のIT企業の中には、社名に「ZEN」と入っている企業が今も少なくありません。

禅の流行はIT業界だけでなく、幅広い分野で見受けられます。米プロバスケットボールNBAの名監督であるフィル・ジャクソンは、シカゴ・ブルズ時代にマイケル・ジョーダンを指導した人物ですが、彼は禅の思想をコーチングに活かしました。

また、フランスでは「ZEN」がすでに日常語に。「あなたはすごくZENな人ですね」「ZENなデザイン」といった表現で広く使用されています。その意味するところは「東洋的な簡素な美」「落ち着いた」「静けさ」など。「ZEN」と名付けられた自動車やインテリア商品、アロマオイルなども販売されています。

海外での禅は宗教色が薄められ、「マインドフルネス」といった価値観の象徴的な存在として親しまれているのが特徴。禅は元々、南インド出身で後に中国に渡った達磨を祖としますが、日本には大乗仏教の一派である「禅宗」として、道元によって鎌倉時代にもたらされました。日本での禅は「坐禅を通じて人間の本性を把握する」「迷いを断ち、感情を鎮める」「心を明らかにして真理を思惟する」といった面が特に重視されました。

江戸時代末期に日本が開国すると、このような「日本の禅」が世界で注目を集めるようになりました。十九世紀後半から二十世紀にかけて、欧米社会では様々な産業が著しく発展した反面、先鋭化する物質主義に葛藤する時代を迎えていました。ロンドンやパリといった大都市では公害がひどく、貧富の差も絶望的に広がっていました。そんな中で、「心のありかた」を大切にする禅の思想は、多くの欧米人の心をとらえたのです。

第二次世界大戦後には、鈴木大拙と鈴木俊隆がアメリカに広く禅を紹介しました。ジョブズが鈴木俊隆と対面を果たしたのは前述の通りです。

ジョブズが師と仰いだ乙川は二〇〇二年七月二十六日、溺れかかった五歳の次女を助けようとして溺死。享年六十四でした。その生涯は「風のような生き様だった」と称されています。

第5章

日本人は尽くすことをいとわない

カンボジアのお札に描かれた「日の丸」

世界遺産「アンコールワット」で知られるカンボジア。一九七〇年代には原始共産主義を掲げるポル・ポト政権により、社会は完全に崩壊し、何百万人もの国民が虐殺されました。

そんなカンボジアの現五百リエル紙幣の裏面には、「きずな橋」と「つばさ橋」と呼ばれる二つの橋と共に「日の丸」が描かれています。二つの橋は、いずれも日本のODAの無償協力によってメコン川に架けられた橋です。

全長千三百六十メートルの「きずな橋」は、二〇〇一年に完成。メコン川に架けられた初めての橋で、首都・プノンペンの北東部に位置します。建設費の五千六百万ドルは、日本からの援助によってまかなわれました。この橋の開通によって、首都圏における物流の効率は飛躍的に向上。カンボジアの経済発展に大きく貢献しました。

一方の「つばさ橋」は二〇一五年に完成。こちらも市民生活の改善に重要な役割を果たしています。

これら二つの橋が日本の援助によってつくられたものだということは、カンボジア国民の間に広く知られています。どちらの橋も「スピエン」という「橋」を意味する現地クメール語と合わせて、それぞれ「スピエン・キズナ」「スピエン・ツバサ」と呼ばれ、人々に親しまれています。五百リエル紙幣には、カンボジア国民の日本への感謝の気持ちが表されているのです。二つの橋は両国間の「架け橋」でもあります。

もとより日本は、ポル・ポト政権によって国土が荒廃したカンボジアに対して、様々な援助を行ってきました。橋以外にも、日本の支援によってつくられた病院や道路などが多くあります。インフラ整備以外にも、教育の分野などで多様なプロジェクトが実施され、総じて成果をあげてきました。

しかし、近年では中国資本の進出が凄まじく、カンボジア社会の「中国化」が急速に進行しています。中国の経済援助は、人道的な取り組みを主軸に置いた日本と比べ、自国の覇権主義を色濃く漂わせた内容です。中国の利益と結びついた「一帯一路」の今後の動向には、日本も注意を払っておく必要があるでしょう。

いつの間にか、お札の「日の丸」が「五星紅旗」に変わっている日が来るとも限らないのです。

トルコの英雄・ミヤザキ

二〇一一年十月二十三日、トルコ共和国の東部で大地震が発生。被災地は甚大な被害に見舞われ、犠牲者は約六百人に達しました。

ＮＰＯ法人「難民を助ける会」のメンバーだった宮崎淳さんは、現地入りして被災者支援のための活動を開始。主に救援物資を被災地に送り届ける活動に従事しました。

大学時代に紛争解決学を学んでいた宮崎さんは、東日本大震災をきっかけに「いかに世界が共助で成り立っているか」を改めて実感。その後、「難民を助ける会」に入会したという経歴の持ち主です。トルコにも「困っている人がいたら放っておけない」という気持ちで渡りました。

しかし、トルコ東部のワンという街で支援活動中の十一月九日、マグニチュード五・七の余震が発生。その結果、宮崎さんが宿泊していたホテルは倒壊してしまいました。宮崎さんは数時間後に救出され、現地の病院に搬送されましたが、懸命の治療もむなしく、その尊い命を失いました。享年四十一。

この悲劇は、トルコ国内で大きく報道されました。トルコのネット上には「ミヤザキさんこそ手本となる人物」「日本の皆さんに申し訳ない」など、その死を悼む書き込みが溢れました。

トルコのアブドラ・ギュル大統領（当時）は、天皇陛下（現・上皇陛下）に書簡を送り、心からの弔意を表しました。

そもそも日本とトルコの間には、「地震国」としての繋がりがあります。一九九九年八月、死者一万七千人以上を出したトルコ北西部地震の際には、日本政府が早急に人命救助隊を派遣。これに対して、東日本大震災の時にはトルコから援助隊が来日し、飲料水や毛布などの提供に尽力しました。

現在、イスタンブール郊外のサルエル市には、宮崎さんの名前を冠した日本庭園「アッシ・ミヤザキ・パルク（公園）」があります。公園内には宮崎さんの銅像も建てられています。サルエル市のシュルク・ゲンチ市長は、こう語っています。

「ミヤザキさんは普遍的な価値と人道のために命を落とした英雄で、トルコ社会の息子になった」

また、コズル市にも宮崎さんの功績を称える銅像が建立されています。トルコで「英雄」と称される宮崎さんですが、残念ながら日本国内での知名度は決して高くありません。

日本人も彼に対して、しっかりと哀悼の意を表していくべきでしょう。

エルトゥールル号事件とトルコの恩返し

親日国の一つとしても有名なトルコ。日本とトルコの間には、後世まで語り継ぐべき「恩義の物語」が存在します。

その発端となったのが「エルトゥールル号事件」。私は二十代の頃、トルコの各地を巡ったことがありますが、その時にもよくトルコ人から「エルトゥールル号事件」

の話を振られました。

明治二十三（一八九〇）年、オスマン帝国から総勢六百五十名に及ぶ大使節団が日本を訪れました。彼らが乗っていた木造の軍艦は、その名を「エルトゥールル号」と言いました。

六月七日、船は無事に横浜港に入港。一行はその滞在中、明治天皇に親書を奉呈するなど、両国の親善のために尽くしました。日本国民からも手厚い歓迎を受けました。

一行は九月十五日、横浜港から祖国への帰途に着きました。しかし、翌十六日の夜半、洋上の彼らを大型の台風が襲ったのです。結局、エルトゥールル号は紀伊大島の樫野崎（かしのざき）東方の海上で沈没。多くの乗組員が荒れ狂う海に投げ出されました。

このような事態に対して、すぐに動いたのが近隣の大島村（現・串本町）の住民たちでした。彼らは岸に流れ着いた生存者を、速やかに学校や寺社などに収容。その上で、水や食糧の提供を行いました。日本政府も海軍の通報艦「八重山」を現場に急派しました。結局、多くの人たちの献身的な行動によって、六十九名もの乗組員の命が救われたのです。

後日、日本側は軍艦「金剛」と「比叡」を使って、生存者たちをトルコまで送り届けました。これが「エルトゥールル号事件」の概要です。

そんな事件から約百年もの時を経た昭和六十（一九八五）年、イランと戦争状態にあったイラクが、イラン上空を「戦争空域」に指定すると宣言。これによってテヘラン在住の邦人はイランから退避することもできず、完全に孤立してしまったのです。

この窮地に手を差し伸べたのがトルコでした。トルコのビルレル駐在特命全権大使はこう言いました。

「トルコ人なら誰もが、エルトゥールルの遭難の際に受けた恩義を知っています。ご恩返しをさせていただきましょう」

トルコ政府は攻撃設定期限の直前に航空機をイランに派遣。結果、二百十五名もの邦人をイランから脱出させることができたのです。

これは「負の連鎖」にまみれる国際社会において、日本とトルコが示した温かな「恩義の物語」と言えるでしょう。

世界で活躍する日本人建築家たち

世界には日本人建築家が手がけた有名な建築物が数多くあります。日本ではあまり知られていなくても、その地で人気の場所になっている事例も少なくありません。

「建築界のノーベル賞」と言われるプリツカー賞を受賞している坂茂（ばんしげる）氏は、スイスで高い知名度を誇ります。チューリッヒの中心地に建つ「タメディア新本社」は、坂氏が手がけた木造の七階建てビル。タメディアはスイスの新聞数紙を統合する巨大メディアグループですが、このような木造のオフィスビルは世界でも珍しい建築物とされ、今やチューリッヒの有名スポットになっています。

東京五輪・パラリンピックに合わせて設立された国立競技場を手がけた隈（くま）研吾氏は、世界中で「和の大家」と称されます。隈氏が提唱しているのは「負ける建築」という考え方。自己主張が強い「勝つ建築」ではなく、周囲の景観と穏やかに調和する「負ける建築」を目指すという隈氏の作品には、日本の伝統的な価値観の香りが感じられます。二〇一九年九月には、トルコの北西部に位置するエスキシェヒルに、隈氏の設計による「オドゥンバザル近代美術館」が開館。木材をふんだんに使った外観は、トルコ国内で大きな話題を呼びました。

カザフスタンの首都・ヌルスルタンの都市設計を担ったのは黒川紀章(きしょう)氏。現在のヌルスルタンには奇抜な建物が多く、さながら未来都市のような景観となっています。

マケドニアで有名なのは丹下健三氏。私が以前、同国の首都・スコピエを訪れた際、よく話題にあがったのも丹下氏のことでした。スコピエは一九六三年に大地震に見舞われ、街の約八割が破壊されるという未曾有の被害を受けましたが、その後の復興に向けた都市計画を担ったのが「世界のタンゲ」だったのです。

交通の拠点であるスコピエの中央駅も丹下氏の手によるもの。一階がバスターミナル、二階は近未来を思わせる筒状の形状をした鉄道の駅となっており、私も滞在中に何度も利用しました。丹下氏は日本国内では代々木体育館や東京都庁の設計者として知られますが、その名声はマケドニアにまで届いています。

また、日本が東日本大震災に見舞われた際には、スコピエ市民から、

「街の復興に貢献してくれた日本人に、今こそ恩返しを」

との声があがりました。丹下氏はすでに平成十七（二〇〇五）年に九十一歳でこの世を去っていましたが、両国間における友誼や恩情の交換には、稀代の名建築家も天上で目を細めていたのではないでしょうか。

知られざる自衛隊の国際貢献

一九九一年、イラクが隣国のクウェートに侵攻したことによって湾岸戦争が勃発。その際、日本は多国籍軍に対して百三十億ドルもの巨額の資金協力を行いましたが、自衛隊は不参加。世界中から「日本は金だけ出して人は出さない」と厳しく非難されました。その後、クウェートは米紙「ワシントン・ポスト」に全面広告を出し、各国の国旗を掲載して謝意を表しましたが、金銭的な貢献しかしなかった日本の「日の丸」はそこにありませんでした。

そのような事態を受けて、日本は戦争終結後、自衛隊の掃海部隊をペルシャ湾に派遣。これが自衛隊にとって初めてとなる海外での実任務でした。後日、クウェートが発行した戦争終結を祝う記念切手には、日本の国旗もしっかりと掲載されていました。

以来、自衛隊は海外での国際貢献に尽力し続けています。

一九九二年からはＰＫＯ（国際連合平和維持活動）の一環として、カンボジアに陸上自衛隊を派遣。道路や橋の修理、ＵＮＴＡＣ（国際連合カンボジア暫定統治機構）構成部門などへの水や燃料の補給の他、輸送や医療の面でも様々な支援を実施しました。

二〇〇一年から始まったインド洋での補給活動でも、自衛隊の活躍は目覚しいものがありました。海上自衛隊がＮＡＴＯ加盟各国の艦船に実施した給油作業は、洋上で船と船とを並べて航行しながら行う難作業でしたが、その緻密で正確な仕事ぶりは「ゴッドハンド」と呼ばれました。

また、難民救済の面でも、ルワンダ紛争、東ティモール紛争、アフガニスタン紛争、イラク戦争の際に、それぞれ重要な任務を担ってきました。かつての「金だけ出す日本」の姿はもうありません。

近年では、自衛隊の人的な国際貢献がさらに存在感を増しています。ソマリア沖に派遣された海上自衛隊の伊藤弘海将補は二〇一五年、海賊の取り締まりを担う多国籍艦隊「第一五一合同任務部隊」の司令官に着任。その後も二名の海将補が同職を歴任し、高い評価を得ています。

このような自衛隊の活動は、国際貢献の分野で「お手本」と見なされる存在にまでなっています。

緒方貞子さんの勇気ある決定

緒方貞子（おがたさだこ）さんは、日本人として初めて国連難民高等弁務官を務めた人物。女性としても、世界初となる就任でした。

緒方さんは一九二七（昭和二）年、東京の生まれ。曽祖父は犬養毅（いぬかいつよし）元首相、祖父は芳沢謙吉元外相という家柄です。

幼少期はアメリカや中国、香港などで暮らしました。聖心女子大学卒業後は、アメリカのジョージタウン大学大学院、カリフォルニア大学バークレー校大学院で学びました。

一九九一年、スイスのジュネーブに本部を置く国連難民高等弁務官事務所（UNHCR）のトップである弁務官に就任。そんな緒方さんが最初に取り組んだのが、いわゆる「クルド難民危機」への対応でした。

湾岸戦争下、イラク国内で迫害を受けていた多くのクルド人が、トルコとの国境地帯に押し寄せました。国際法では国境を越えなければ難民として認定されませんが、緒方さんは周囲の幹部職員たちの反対を押し切って人道支援を決断。緒方さんの勇気あるこの決定によって、多くの難民の命が救われました。「人命最優先」という姿勢を貫き通したこの支援により、UNHCRの国際的な評価もより高まりました。

その後も緒方さんは、ボスニア紛争やアフリカのルワンダ虐殺で発生した大量の難民への支援などに奔走しました。

そんな緒方さんが大事にしたのが「現場主義」。治安の悪い紛争地にも、防弾チョッキを着て積極的に足を運びました。そんな緒方さんのことを、欧米メディアは敬意を込めて「小さな巨人」と呼びました。

二〇〇〇年に退官した後も、アフガニスタン復興支援政府代表や、ＪＩＣＡ（国際協力機構）理事長といった要職を歴任。途上国への支援活動に重ねて力を尽くしました。

そんな日本を代表する国際人だった緒方さんですが、令和元（二〇一九）年十月二十二日、逝去。享年九十二でした。

世界の主要メディアも、この訃報を速報で伝えました。イギリスのＢＢＣは「土地を追われ、身を守るすべのない人たちを守る非常な情熱で知られた」とその死を悼みました。

チャーチルが讃えた「地中海の守護神」

日本は第一次世界大戦に連合国側の一国として参戦。イギリス政府からの要請を受けた日本は、海軍の艦隊をヨーロッパに派遣しました。ドイツやオーストリアの潜水艦による無差別攻撃から、連合国側の船舶を護衛するのがその任務でした。

一九一七年、日本の第二特務艦隊は、マルタ島を拠点として地中海での護衛任務に就きました。

五月四日、イギリスの兵員輸送船「トランシルバニア号」がイタリアのサナボ沖で敵潜水艦から魚雷攻撃を受けた際には、速やかに救助活動を開始。駆逐艦「松」と「榊（さかき）」が潜水艦と交戦しながら、同時に救助活動を展開しました。当時のイギリス海軍では味方の艦船が攻撃を受けた場合、さらなる被害の拡大を防ぐために救助活動は行わなくても良いことになっていましたが、日本海軍は危険を顧みず乗組員を救助。さらに収容したイギリス兵に対し、自らの衣服や食糧を提供するなど献身的に対応しました。

その結果、「トランシルバニア号」の乗組員三千二百六十六名の内、約三千人を救助することができたのです。敵の攻撃に脅かされながら、これだけ多くの人命を救助した事例は、世界の海戦史において他に類を見ないとも言われています。

敵と交戦しながら救助活動をする行為には、確かにイギリス海軍が想定した通り、より多くの犠牲者を出してしまう危険性があります。イギリス海軍の指針は、合理主義に基づいて十分に考え抜かれた上での判断です。

しかし、日本の伝統的な武士道は「仲間を見捨てる」ことを嫌います。自身を危険にさらしてでも仲間を救おうとする自己犠牲の精神は、武士道の考え方の一つなのです。日本海軍はそんな日本的な価値観を、実際の戦場において見事に体現したのでした。

イギリス側は第二特務艦隊を「地中海の守護神」と呼び、その偉業を賞賛。当時、海軍大臣だったウィンストン・チャーチルは、日本側に感謝の意を込めた電報を送り、イギリス国王・ジョージ五世は、その戦功を称えて勲章を授与しました。イギリス議会では、日本語で「万歳三唱」が行われました。

結局、第二特務艦隊は約一年半に及ぶその派遣期間中、三百四十八回もの船団護衛に従事。護衛した人員の数は、延べ七十五万人にも達しました。その一方、同隊からは七十八名の犠牲者が出ています。

第二特務艦隊の功績は、第一次世界大戦における連合国側の勝利に大きく貢献しました。日本はこの実績を評価されるかたちで、連合国五大国の一員としてパリ講和会議への参加が認められました。その後、日本は国際連盟の常任理事国となります。

マルタ共和国のイギリス人墓地には、第二特務艦隊七十八名の犠牲者を祀る慰霊碑が建立されています。

ポーランド人孤児を救った「見捨てない心」

日本とポーランドの間にも、「温かな恩義の交換」とでも言うべき歴史の一ページが存在します。

十八世紀以降、「領土分割」という悲劇の中にあったポーランドでは、様々な独立運動が試みられました。しかし、ロシア軍などによって鎮圧されると、運動家やその家族は容赦なくシベリアの地に送られました。

第一次世界大戦が勃発すると、ポーランドの地は熾烈な戦場と化し、大量の難民が発生。彼らの多くもシベリアへと流入しました。このような経緯から、シベリアには二十万人近くものポーランド人が居住するようになっていました。

一九一七年にはロシア革命が勃発。旧ロシア帝国内は激しい内戦状態に突入しましたが、これによってシベリアで暮らすポーランド人はさらに困窮した生活を強いられるようになりました。一九一八年、ポーランドは独立を回復しましたが、シベリア在住のポーランド人たちの惨状は変わりませんでした。

一九一九年、こうした状況を憂慮するウラジオストク在住のポーランド人たちが、「ポーランド救済委員会」を設立。同委員会が最も力を注いだのが、シベリアに住む戦争孤児たちを救出することでした。同委員会はまず、欧米諸国に孤児救済を懇願。しかし、この要請を受け入れた国は一つもありませんでした。

そんな委員会が次に頼ったのが日本だったのです。そして、当時の日本政府は、この要請を受け入れたのでした。

一九二〇年七月、第一陣となる三百七十五名の孤児たちが、敦賀港経由で東京に到着。日本側は収容所を準備し、孤児たちに適切な医療処置を施しました。国民からも多くの寄付金が集まりました。

一九二二年には、第二回となる孤児受け入れが実現。この時には大阪が受け入れ先となり、三百九十名もの孤児たちが救出されました。収容所での生活で体力を取り戻した孤児たちは、その後、ポーランドへと送り届けられました。

そんな救出劇から七十年以上を経た一九九五年、「阪神・淡路大震災」に見舞われた日本に対して、ポーランドは迅速な支援を行いました。支援を呼び掛ける訴えの中には、「孤児救出の恩返しを」という声もありました。

以前、私がポーランドの各地を旅していた際、南部のクラクフという街で仲良くなった大学生は、孤児救出に関して次のように話していました。

「その話は学校で習ったことがありますし、ポーランドのテレビ番組で観たこともあります。ポーランドでは日本の柔道や空手といった武道が大変な人気ですが、孤児救済は日本人の『武士道』によって実現したものだと理解しています」

台湾人が語り継ぐ「最も尊敬すべき日本人」

台湾で「恩人」「最も尊敬すべき日本人」などと称されているのが八田與一(はったよいち)という人物。台湾において、八田の功績は教科書にも記載されています。

八田は明治十九(一八八六)年二月二十一日、石川県河北郡花園村(現・金沢市今町)にて生まれました。東京帝国大学工学部で土木学を学んだ後、台湾総督府の土木局に勤務しました。

八田が取り組んだのが、嘉南平野での農業水利事業でした。河川の少ない嘉南平野では毎年のように干ばつが発生し、農民たちは慢性的な水不足に苦しんでいました。そうかと思うと、豪雨の後に大規模な洪水に見舞われることもありました。そんな状況を憂いた日本側は、最新式のダムをつくることによって農民たちの生活を改善しようと試みたのです。

灌漑(かんがい)工事は一九二〇年から始まりました。八田は作業員たちのために、宿舎はもちろん、学校や病院まで建設。「よい仕事は安心して働ける環境から生まれる」という理念のもと、八田は町自体をつくりあげたのでした。

工事開始から約十年後、数々の困難を乗り越えて「烏山頭（うさんとう）ダム」が完成。これは当時、世界最大級のダムでした。平野部に張り巡らされた農業用水の水路の総延長は、およそ一万六千キロにも及びました。これら灌漑施設の完成により、嘉南平野は肥沃な農作地へと生まれ変わりました。

そんな八田は、昭和十七（一九四二）年五月八日、フィリピンでの水利事業にあたるため、客船「大洋丸」に乗船していました。しかし、同船は五島列島の南方を航海中、米軍の潜水艦からの魚雷攻撃によって沈没。八田も不帰の人となりました。享年五十六。

昭和二十（一九四五）年八月十五日、日本は降伏し、台湾は日本の統治下ではなくなりました。その翌月の九月一日、八田の妻・外代樹（とよき）は、かつて夫が十年もの歳月を捧げてつくったダムに身を投げて、自身の生涯を閉じました。

八田が手がけた烏山頭ダムと用水路は、今も同地の人々の生活を支えています。ダムの周辺は公園として整備され、人気の憩いの場にもなっています。

八田與一の銅像。親中派の元議員によって破壊されたが、2017年に修復された。この写真は破壊される前のもの。

公園内には八田の銅像も建立されています。八田の命日である五月八日には毎年、慰霊祭も執り行われています。

嘉南平野の地で親子三代にわたって農業を営んでいるという台湾人の男性は、八田について次のように話してくれました。

「ダムがなかったら、私たち一家はこの地に根を下ろすことはできなかったでしょう。水は農家にとって最も大切なものですから。私たちはその歴史をいつまでも忘れません」

もう一つの「ユダヤ人救出劇」

「日本人によるユダヤ人救出劇」と言えば杉原千畝（ちうね）が有名です。リトアニア駐在の外交官だった杉原は、昭和十五（一九四〇）年、ナチスの迫害から逃れてきたユダヤ人に対し、日本通過ビザを発給。約六千人もの命を救ったと言われています。

しかし、実はもう一つ、日本人によるユダヤ人救出劇は存在しました。その中心にいたのが、陸軍軍人・樋口季一郎です。

樋口は明治二十一（一八八八）年、兵庫県淡路島で生まれました。陸軍士官学校、陸軍大学校を卒業した樋口は、情報将校としてロシアやポーランドに駐在しました。

昭和十二（一九三七）年からはハルビン特務機関長に就任。そして迎えた昭和十三（一九三八）年三月、樋口の生涯を大きく左右する事態が発生しました。ソ満国境のオトポールという地に、多数のユダヤ難民が姿を現したという知らせが樋口のもとに届いたのです。ドイツの顔色を気にした満洲国がビザを出さないため、難民たちは酷寒の地で立ち往生しているという話でした。

ポーランド駐在時からユダヤ人の苦境を理解していた樋口は、ただちにビザを出すよう満洲国外交部に対して指導。結果、ユダヤ難民へのビザの発給が実現しました。その後、この「ヒグチ・ルート」を利用して、多くのユダヤ人がナチスの弾圧から逃れることができました。これは杉原の「命のビザ」の二年も前の話です。

しかも、樋口の功績はそれだけにとどまりません。終戦後、ソ連軍が千島列島に侵攻を開始しましたが、その当時、第五方面軍司令官だった樋口は、同列島北東端に位置する占守島の守備隊に対し、自衛戦争としての「徹底抗戦」を命じました。樋口からの命令を受けた占守島の守備隊は、多くの犠牲者を出しながらも、ソ連軍の侵攻を見事に食い止めました。

この占守島の戦いがなければ、北海道はソ連によって分断統治されていた可能性が高いと考えられます。スターリンは釧路と留萌を結んだ北海道の北半分を占領する考えを持っていました。すなわち、日本がドイツや朝鮮半島のような分断国家となるのを防いだのが、占守島の戦いだったのです。戦後日本の国のかたちを決めた重要な戦闘でした。

そんな樋口に対し、ソ連からは「戦犯引き渡し要求」がなされました。これをロビー活動（個人や団体が国会議員や官僚などに要望を伝えるために働きかける行動）によって防いだのは、かつて「ヒグチ・ビザ」で命を救われたユダヤ人たちでした。ユダヤ人たちは樋口からの恩を忘れていなかったのです。

昭和四十五（一九七〇）年には、日本イスラエル協会から樋口に名誉評議員の称号が贈られています。

インドネシア独立に身をささげた日本人

インドネシアは大航海時代から約三百五十年にもわたって、オランダの植民地支配下にあった国。オランダは過酷な植民地政策によって、インドネシアの人々を搾取し続けました。

第二次世界大戦が始まると、日本軍はオランダ領東インド軍（蘭印軍）に勝利。その結果、同地は日本の軍政下に入りました。

第十六軍司令官・今村均は、オランダ植民地政府に囚われていたスカルノやハッタといった独立運動家を解放。「インドネシア」という呼称を公共の場で使用することを解禁し、インドネシア人を現地官吏に登用するといった政策を実行しました。また、オランダ時代にはインドネシア人への愚民化政策が行われていましたが、日本は官吏育成学校や医科大学、商業学校などを創設。インドネシアの将来の独立にも理解を示しました。

しかし、昭和二十（一九四五）年八月十五日、日本は敗戦。その二日後の八月十七日、スカルノとハッタは独立を宣言し、インドネシア共和国が成立しました。

ところが、これを阻止すべく動いたのが、旧宗主国であるオランダでした。オランダはイギリスやオーストラリアの支援のもと、軍を派遣して同地の再植民地化を目論みました。こうして勃発したのが、インドネシア独立戦争でした。

独立を目指して戦うインドネシア軍の中には、日本人の姿がありました。旧日本軍の一部の将兵たちが、インドネシアの独立を支援するため、戦闘に参加したのです。日本に引き揚げることなく、この戦いに参戦した日本人の数は、およそ千～二千人に及んだと言われています。さらに、歩兵銃や野砲、弾薬といった日本軍の軍需品が、独立派へと譲渡されました。

旧日本軍将兵たちは、インドネシア軍兵士たちへの教練や作戦指導などに携わりました。もちろん、最前線での戦闘にも果敢に参加しました。

結局、戦争は一九四九年十二月二十七日まで続きました。一連の戦闘により、約八十万人もの人々が犠牲になったとされますが、その中には旧日本軍将兵たちも含まれています。晴れてインドネシア共和国が誕生したのは、一九五〇年八月十五日のことでした。

この独立戦争で命を落とした旧日本軍将兵たちは、現地の英雄墓地などに今も祀られています。

ラグビーワールドカップ開催秘話

令和元（二〇一九）年九月から日本で開催されたラグビーワールドカップは、日本代表「ブレイブ・ブロッサムズ」の快進撃によって大いに盛り上がりました。しかし、その開催の影に一人の外交官の存在があったことは、あまり知られていません。

奥克彦さんは昭和三十三（一九五八）年、兵庫県宝塚市で生まれました。兵庫県立伊丹高等学校でラグビー部に入部。入部当初は弱小チームでしたが、猛練習によって部は躍進し、高校ラグビー界の晴れの舞台である「花園」にも出場。そんなチームの中心選手だった奥さんは、当時から外交官の夢を抱いていたと言います。

高校卒業後は早稲田大学に進学し、迷うことなくラグビー部に入部。百八十センチ以上ある大型のフルバックとして、将来を嘱望される存在となりました。

しかし、二年生の夏に部を退部。「外交官になるための勉強に専念したい」というのがその理由でした。その後の猛勉強の結果、奥さんは難関の「外務公務員上級試験」を見事に突破しました。

外務省入省後は、イギリスのオックスフォード大学に留学し、二年間の研修生活に入りました。同国は言わずと知れた「ラグビー発祥の国」。奥さんの心に再びラグビーへの情熱が芽生えたのは必然でした。ラグビー部に入部した奥さんは、ウイングのレギュラーを奪取。名門チームにおける「日本人初のプレイヤー」として、公式戦への出場も果たしました。

平成十三（二〇〇一）年からは、ロンドンの日本大使館に勤務。イラク戦争後は、イラクの復興支援のために現地を駆け回る日々を送りました。イラクの病院の惨状を見て、上層部の許可を得る前に援助を即断するなど、熱血と愛情に溢れる人でした。

そんな彼の夢が「ラグビーワールドカップの日本招致」だったのです。奥さんは早大ラグビー部の先輩にあたる森喜朗元首相のもとを何度も訪れ、夢の実現を訴えました。

しかし、平成十五（二〇〇三）年十一月二十九日、イラクを視察していた奥さんは、武装勢力からの銃撃によってこの世を去りました。享年四十五。

そんな彼の夢は二〇一九年に実現しました。大会の招致活動の際には、奥さんのイギリスでの人脈も役立ったと言われています。

大会直前には、奥さんの母校である早大ラグビー部と、留学先だったオックスフォード大のラグビー部が「奥記念杯」として親善試合を行いました。「絆のパス」は今後も受け継がれていくのではないでしょうか。

第6章

日本人は知と技術の民

高い水準にあり続ける読書文化

世界最古の長編小説は、日本の『源氏物語』です。その成立は平安時代の中期。今から千年以上も前の作品ということになります。

作者の紫式部は下級貴族の出身。漢学者であった藤原為時の娘として生まれましたが、早くに母親を亡くし、父親の手で育てられました。二十代後半で藤原宣孝と結婚し、一女をもうけましたが、結婚から三年ほどで夫と死別。そのつらい現実を忘れるために執筆活動に入ったと言われています。

全五十四巻から成る『源氏物語』は、平安時代の貴族社会を舞台としたもので、その構成は三部に分けられます。一部では主人公である光源氏の栄華を極める姿が優艶に描かれます。二部では最愛の人である紫の上を失った光源氏の感情の機微が描写され、三部では光源氏が没した後の世界が丁寧に綴られます。

現在、『源氏物語』は二十カ国語以上に翻訳されています。二〇一九年にはアメリカのメトロポリタン美術館で「源氏物語展」が開催され、多くの来場者を集めました。

そんな世界最古の小説を生んだ日本ですが、日本人の「読書好き」は連綿と続く伝統文化の一つ。江戸時代には井原西鶴の『好色一代男』がベストセラーになるなど、庶民の間に華やかな出版文化がすでに花開いていました。明治維新の時点で、成人男性の約40％が寺子屋などで教育を受けた経験を持ち、「読み書き算盤」ができたと言われています。一方、同時代のイギリスで教育機関に通ったことのある男性の割合は、実に25％ほどに過ぎません。一八七八年に訪日したイギリス人女流作家のイザベラ・バードは、日本人がよく本を読んでいることについて、

「ほとんどの家からも、予習をして本を読んでいる（子どもの）単調な声が聞こえてくる」

と書き残しています。

明治以降、急激な近代化を成し遂げた日本ですが、それを支えたのは民衆の高い教育水準でした。国民に豊かな知識や教養の基盤があったからこそ、西洋文明の優れた部分を速やかに吸収することができたのです。

中国人を魅了する東野圭吾のエンタメ性

二〇一九年、私は中央アジアのカザフスタンで開かれた「アジア作家フォーラム」に招かれて出席しました。アジア四十カ国以上から集まった作家やジャーナリストたちと、様々なテーマについて有意義な議論を交わすことができました。

そんなアジアの作家たちが挙げる「好きな日本人作家」は、松尾芭蕉、芥川龍之介、三島由紀夫、安部公房、川端康成、大江健三郎、村上春樹といったところ。芭蕉を尊敬しているという某カザフ人作家から、

「俳句を二つほど詠んでほしい」

と頼まれた時には困ってしまいましたが。

また、カザフ人のとある作家は、私にこう熱弁しました。

「三島由紀夫のパトリオティズム（愛国心）ほど美しいものはない」

日本には「愛国心」という言葉に過度のアレルギー反応を示す人たちが一部にいますが、そもそも愛国心とは自然に湧き出ずる泉のようなもの。強引に押し込める必要

はありません。他国を貶める(おとし)ような偏狭なナショナリズム(国家主義)は戒めるべきですが、郷土愛や祖国愛に基づく健全なパトリオティズムまで否定する国など、世界中どこにもありません。日本にはこの二つの異なる概念を「愛国心」という一つの言葉で括ってしまう風潮がいまだに根強く存在しますが、しっかりと分けて考えたほうが良いと思います。

パトリオティズムとは、社会を良くするため、あるいは個人が前向きに生きていくために、必要不可欠な土台のようなもの。社会的な責任感や羞恥心も、適度なパトリオティズムから生まれます。三島のパトリオティズムは、国境や民族の違いを超えて広く読み継がれています。

その他、夏目漱石の『こころ』も海外で親しまれている作品の一つ。『坊ちゃん』も多くの言語に翻訳されています。さらに、谷崎潤一郎や井伏鱒二、太宰治の小説なども各国で翻訳版が刊行されています。

近年では、東野圭吾が世界的な人気作家に。もともと東野作品はアジアで多くの読者を獲得していましたが、『容疑者Xの献身』の英語訳が二〇一一年に刊行されると、たちまち欧米でもベストセラーになりました。同作はアメリカで最も権威のあるミステリー賞「エドガー賞」にもノミネートされました。

東野は中国にも熱狂的なファンが多く、「中国で最も稼ぐ外国人作家」というランキングにおいて『ハリーポッター』シリーズの作者であるJ・K・ローリングを抜いて一位に輝いたこともあります。現在の中国における東野作品への人気はとどまるところを知らず、既刊であっても中国での翻訳権取得には数千万円かかると言われています。

そんな東野作品を契機として、世界では「ジャパニーズ・ミステリー」への関心が高まっています。中村文則の『掏摸（スリ）』『悪の仮面のルール』は、アメリカ紙「ウォール・ストリート・ジャーナル」が選ぶその年の「ミステリー・ベスト10」にいずれもランクイン。二〇一四年、中村はアメリカの「デイビッド・グーディス賞」にも日本人として初めて選出されました。

「起伏に富み、テンポよく進む構成や予想外の展開、感情移入しやすいキャラクター設定が特徴的」などと称される日本のミステリー小説は今後、日本発の新たなポップカルチャーとして、さらなる大きなトレンドに発展していくかもしれません。

国際科学オリンピックでの活躍

オリンピックは「スポーツによる平和の祭典」ですが、実は「国際科学オリンピック」というイベントも毎年開催されています。通称「知のオリンピック」です。同大会は数学や物理、地理といったそれぞれの学術分野別に実施されます。対象者は世界中の中学生や高校生。科学技術に関する知識や発想、問題解決の能力などが高いレベルで競われますが、これまで日本からも多数の生徒が参加し、優秀な成績を収めています。メダルの贈与方法は各分野別に異なり、例えば国際化学オリンピックでは参加者の上位約一割に金メダル、約二割に銀メダル、約三割に銅メダルが贈られるといった規定になっています。

高校生を対象にした国際数学オリンピックでは、日本は二〇〇九年に金五個、銀一個を獲得して国別の順位で二位に入賞。二〇一四年には金四個、銀一個、銅一個で五

位に入りました。ただし、近年では全体的にアメリカや中国に水を開けられていま
す。

国際生物学オリンピックにおいては、日本チームが二〇一二年と二〇一四年に一位を獲得。同分野における日本の高い教育水準が実証されました。

二〇一九年七月にフランスで開催された国際化学オリンピックには、八十の国や地域から三百九名が参加。日本からは高校生四名が参戦しました。

同大会では五時間にわたって理論や実験に関する問題が出題されましたが、日本代表は金二個、銀二個を獲得。日本人が金を獲ったのは六年連続、代表全員がメダルを獲得するのは十六年連続という快挙でした。

さらに、二〇一九年九月に韓国で行われた国際地学オリンピックでは、日本代表の高校生四人全員が金メダルを獲得。国別のメダル獲得順位において、堂々の第一位に輝きました。

とかく「学力低下」が問題視される日本ですが、そんな中でも地道な努力を積み重ねている若者は大勢います。「科学立国」として国際的な地位を維持してきた日本に

とって、若者の科学力は国の根幹を担う重要な基盤と言えるでしょう。

「スポーツのオリンピック」はもちろんすばらしいものですが、同時に「知のオリンピック」についてもメディアがしっかりと取り上げて、より盛り上げていけると良いと思います。

「はやぶさ」に見る日本の宇宙技術

ＪＡＸＡ（宇宙航空研究開発機構）が開発した小惑星探査機「はやぶさ」は、二〇〇五年十一月二十日、地球から約三億キロも離れた小惑星「イトカワ」の地表に着陸。世界で初めて、地球重力圏外にある小惑星から微粒子を持ち帰ることに成功しました。

その快挙は、海外のメディアでも大きく報じられました。「はやぶさ」の成功を受けて、欧米諸国も小惑星探査の計画を次々と発表しました。

その後、ＪＡＸＡは「はやぶさ」の技術をさらに進化させ、二〇一四年十二月に後継機である「はやぶさ2」を打ち上げました。「生命の起源の謎に迫る」ことを目標に掲げた同機は、計画通り小惑星「リュウグウ」に接近。その様子は、CNNなどの海外メディアでも細かく報じられました。

「はやぶさ2」はリュウグウの人工クレーター付近に着地し、地下物質を採取。これも世界初の快挙でした。中国メディア「今日頭条」は「日本はアメリカですら成功していない難易度の高いプロジェクトを成功させた」と一報。日本の高度な宇宙技術を称賛しました。「はやぶさ2」は、二〇二〇年末頃に地球に帰還する予定になっています。「リュウグウ」からの「宝物」がいかなるものなのか、大いに期待したいところです。

宇宙開発分野での日本の貢献は多岐にわたります。現在、ISS（国際宇宙ステーション）における宇宙飛行士の国別滞在日数において、日本はロシア、アメリカに次いで第三位。着実に実績を積み上げています。

二〇二〇年には野口聡一さんが三度目となるISS滞在に出発します。その後、星出彰彦さんもISSの船長として、第六十五次長期滞在の指揮をとる予定です。

また、ＩＳＳに水や食糧を届ける補給機の分野でも、日本の「こうのとり」が活躍。今までに失敗が一度もない「成功率１００％」の補給機は、世界で「こうのとり」だけです。

アメリカや中国の宇宙開発は、主に軍事目的の色彩が強いものですが、日本は平和利用を掲げています。軍事技術と距離を置いたかたちで開発が進められ、低コストで大きな結果を出しているのが日本の宇宙開発の特徴です。

ノーベル賞の常連国

ダイナマイトを発明したアルフレッド・ノーベルの名を冠した世界的な賞である「ノーベル賞」。欧米の科学者が受賞する割合が多い同賞において、日本人は特筆すべき結果を残しています。二〇一九年までに二十七名もの受賞者を日本は輩出していますが、これは非欧米諸国の中では最多です。

日本人で最初のノーベル賞受賞者は、理論物理学者の湯川秀樹氏。一九四九年、湯川氏は「中間子理論」によってノーベル物理学賞を受賞しました。その後も「量子力学のくりこみ理論」で朝永振一郎氏が物理学賞、「量子力学のトンネル理論を半導体で実現」した江崎玲於奈氏が同じく物理学賞、「化学反応のフロンティア軌道理論」で福井謙一氏が化学賞、「免疫抗体の多様性を解明」した利根川進氏が生理学・医学賞を受賞するなど、日本人受賞者は順調に増えていきました。

さらに近年では、受賞者が出るペースが加速しています。

二〇一五年には「ニュートリノ振動の発見」で梶田隆章氏が物理学賞、「寄生虫による熱帯感染症への治療法発見」で大村智氏が生理学・医学賞を受賞。二〇一六年には「オートファジーの仕組みの解明」で大隅良典氏が生理学・医学賞、二〇一八年には本庶佑氏が「免疫抑制の阻害によるがん療法の発見」により同じく生理学・医学賞を受賞しました。本庶氏の研究は、人の身体がもともと持っている免疫でがん細胞を攻撃するという新たな治療薬「オプジーボ」の開発につながりました。

ただし近年、日本人研究者による国際的な科学論文の数が、横ばいになっているのも事実。急速に伸ばしてきた中国に抜かれ、世界三位に順位を落としています。このままだと近い将来、「アジアのノーベル賞大国」の座を奪われてしまうかもしれません。

また、ユニークな研究に贈られる「イグ・ノーベル賞」でも、日本は抜群の強さ。「たまごっちの開発」や「カラオケの発明」の他、「ハトを訓練してピカソの絵とモネの絵を区別させることに成功」「床に置かれたバナナの皮を人間が踏んだ時の摩擦の大きさを計測」といった前例のない個性的な研究で、多くの日本人研究者が同賞に輝いています。二〇一九年には「典型的な五歳の子どもが、一日に分泌する唾液量の測定」で、日本の歯学者である渡部茂氏らの研究グループが同賞を受賞しました。

世界を変えたリチウムイオン電池

二〇一九年十月、ノーベル化学賞に旭化成名誉フェローの吉野彰氏が選ばれました。

吉野氏の受賞理由は、「リチウムイオン電池の開発」に成功したこと。この画期的な発明により、小型かつ軽量で高出力の蓄電池が実現しました。

吉野氏は昭和二十三（一九四八）年、大阪府吹田市にて生まれました。小学生の時から化学に興味を持つようになりましたが、それは担任教師の影響であったと言います。

大阪府立北野高等学校卒業後、京都大学工学部に進学し、大学院修士課程を修了。その後、旭化成工業（現・旭化成）に入社しました。

入社後の吉野氏は三つの研究テーマで失敗し、挫折を味わいました。決して順風満帆な研究者生活ではなかったのです。その後、四番目に取り組んだのが、リチウムイオン電池の研究でした。それまでの充電池には、電力がゼロになる前に充電すると劣化してしまうという致命的な欠点がありましたが、吉野氏は地道な試行錯誤の末、いつでも充電可能なリチウムイオン電池の開発に成功しました。「夢の電池」の誕生です。

現在、リチウムイオン電池は、スマートフォンやノートパソコン、電気自動車や航空機の動力源など、幅広い分野で利用されています。二十世紀末以降に新たに誕生した機器のほとんどにリチウムイオン電池は使用され、すでに二十一世紀を生きる私たちの生活に欠かせない存在となっています。小惑星「リュウグウ」に着陸した「はやぶさ2」にも同電池は搭載されています。現在、リチウムイオン電池は世界で年間十億個以上が生産されていますが、その基本特許を持っているのは旭化成です。

吉野氏はこう語っています。

「研究開発では執念深さだけでなく、壁にぶつかった時に柔軟性も必要だ」

そして、吉野氏は大阪人らしく、

「『なんとかなるわいな』の気持ちも重要」

とも話しています。苦難に陥った場面でも適度な楽観主義を忘れず、前を向いて臨機応変に対処していく姿勢は、様々な分野に共通して求められる重要な態度と言えるでしょう。

リチウムイオン電池は、環境問題を解決する決め手と目されています。日本人化学者の功績が、世界を新たなステージへと導こうとしているのです。

世界最大規模の水素製造プロジェクト

ヨーロッパが脱炭素（脱化石燃料）社会に向けて大きく舵を切る中、日本も重要な岐路に立っています。二酸化炭素排出量の多い石炭火力発電所を新設している日本は、世界の潮流に乗り遅れている面があります。

しかし、「究極のクリーンエネルギー」「次世代エネルギーの本命」とも称されている水素技術に関しては、日本が世界をリードしています。石炭や石油といった化石燃料に依存するのではなく、水素をエネルギーとして活用することによって温室効果ガスである二酸化炭素の排出量の低減を目指す技術には、世界中から多くの期待が寄せられています。

日本は「水素社会の構築」をすでに国の方針として掲げています。福島県浪江町で進められているのは、世界最大規模の水素製造プロジェクト。太陽光パネルによって発電した電気で水素製造装置を稼働させ、年間九百トンもの水素を生み出す計画となっています。これは燃料電池車一万台が一万キロを走る燃料に相当する水素量です。

これら「福島産水素」は東京五輪・パラリンピックの期間中、東京都内に運ばれ、燃料電池車の燃料として使用されることになっています。被災地・福島の復興の象徴にふさわしいプロジェクトと言えるでしょう。

このような水素製造技術は、五輪後のレガシー（遺産）としても注目を集めています。五輪を契機とした「水素社会」の到来は、世の中に大きな変化をもたらす可能性を秘めています。

二〇一九年九月、主要先進国のエネルギー担当大臣らを集めて東京で開催された「水素閣僚会議」では、水素で走る燃料電池車の数を「今後十年で一千万台に増やす」といった行動指針が採択されました。日本が提案し、参加各国が同意したかたちです。ちなみに、世界の燃料電池車（乗用車）の普及台数の順位は、一位がアメリカ、二位が日本、三位がドイツとなっています。日本には燃料電池車のための水素ステーションがすでに百カ所以上ありますが、これは世界最多の設置数です。

その他、長崎県の五島列島には国内初となる浮体式洋上風力発電設備がありますが、余った電力から水素を製造する技術の研究も行われています。この地でつくられた水素を使用して走る燃料電池船は、すでに実証航行を経ており、近い将来の実用化が視野に入っています。

世界のロボットの約六割が日本製

日本のアニメやマンガには『鉄腕アトム』や『ロボコン』、『ドラえもん』など、ロボットが仲間や友人として登場する作品が少なくありません。日本のソフトコンテンツでは、ロボットが「人を助ける」という役柄で描かれることが多いのです。一方、アメリカのハリウッド映画では『ターミネーター』のように「人間対ロボット」という構図の作品が目立ちます。

そもそも「ロボット」という単語は、チェコ語で「強制労働」を意味する「ロボッタ」が語源と言われています。欧米においてロボットは「人の仕事を奪う存在」と見なされるケースが今も珍しくありません。日本人が思う以上に、欧米人の「ロボット・アレルギー」は根強く存在します。そんな欧米人のロボット観とは異なる独特の感性を日本人は有しています。

日本は世界随一の「ロボット大国」。一九八〇年代、日本は「産業用ロボット」をいち早く一般化した結果、生産の効率化が飛躍的に進み、驚異的な高度成長を支える原動力となりました。一九八五年の時点で、世界の産業ロボットの約七割が日本に集中していたと言われています。

二〇一九年に経済産業省が発表したところによると、日本はいまだ世界一のロボット生産国であり、世界のロボットの六割弱が日本製だということです。

現在、日本で推進されている「働き方改革」においても、ロボットやＡＩ（人工知能）の活用が大きな指針の一つになっています。少子高齢化への対応策としても、幅広い分野でのロボットの活用は欠かせません。日本はすでに「ロボット新戦略」を策定し、市場規模の拡大を目指すことに注力しています。

国内の農業分野では、自走式の収穫用ロボットや、ＡＩによって害虫の居所を正確に認識して最適な場所に農薬を散布するドローンなどがすでに開発されています。最先端技術を駆使した「スマート農業」は、人手不足に悩む農家から大きな期待が寄せられています。

また、医療や介護の世界でも、ロボット技術の活用は必要不可欠。もとより日本企業は、オリンパスが消化器内視鏡の世界シェア約七割を占めるなど、医療機器の分野に大きな強みを持っています。手術支援ロボットの他、入浴支援や移動支援を行う介護ロボットなど、日本勢の新たな開発に期待したいところです。

ザビエルが驚いた日本人の知識欲

日本人が知識や技術に深い関心を寄せるのは、現代に始まったことではありません。

「キリスト教を日本に伝えた人物」として教科書にも記載されているフランシスコ・ザビエルは、ナバラ王国（現・スペイン北東部）出身のバスク人。イエズス会の創設メンバーの一人として天文十八（一五四九）年に来日し、キリスト教の伝道に努めました。日本に初めて眼鏡を持ち込んだのもザビエルだったと言われています。

ザビエルは来日前、インドやマレー半島などで布教活動をしていましたが、彼は日本の印象をそれらの国々と比較してこう書いています。

〈この国（引用者注・日本）の人びとは今までに発見された国民のなかで最高であり、日本人より優れている人びとは、異教徒のあいだでは見つけられないでしょう。彼らは親しみやすく、一般に善良で、悪意がありません。驚くほど名誉心の強い人びとで、他の何ものよりも名誉を重んじます〉

ザビエルは日本各地を精力的に巡りましたが、そんな彼が驚いたことの一つが、日本人の旺盛な「知識欲」でした。

〈（日本人は）好奇心が強く、うるさく質問し、知識欲が旺盛で、質問は限りがありません。また彼らの質問に私たちが答えたことを彼らは互いに質問しあったり、話したりしあって尽きることがありません〉

日本人はザビエルに対して、

「そんなにありがたい教えが、なぜ今まで日本にこなかったのか？」

「そのありがたい教えを聞かなかった我々の祖先は、今、どこでどうしているのか？」

といった質問を次々と浴びせてきたと言います。ザビエルが、

「洗礼を受けていない者は地獄に落ちる」

との旨を説明すると、それを聞いた者たちは、

「あなたの信じている神様というのは随分と無慈悲だし、無能ではないか。全能の神というのであれば、私のご先祖様くらい救ってくれてもいいではないか」

と反論したそうです。困ったザビエルは**「日本人は文化水準が高く、よほど立派な宣教師でないと、日本の布教は苦労するであろう」**と本国への手紙に綴りました。

ザビエルは「彼ら日本人は予の魂の歓びなり」と語ったとも言われています。

江戸時代の科学力

徳川家康が江戸に幕府を開いた慶長八（一六〇三）年から、十五代将軍・徳川慶喜の大政奉還が行われた慶応三（一八六七）年まで続いた江戸時代は、日本にとって強い独自性を育む絶好の機会となりました。長年にわたって外国との交易を制限し、大

きな戦乱のない太平の時代を築いたことは、世界史的にも稀有な事例とされています。

そんな江戸時代は、学問の面での発達も顕著でした。

世界的には線形代数学における「行列式」を発見したのはドイツのライプニッツとされますが、和算家の関孝和はその十年も前の天和三（一六八三）年から同様の式を使用していました。

関は寛永年間の生まれ。若い頃から高度な数学を学び、甲府藩の勘定吟味役や幕府の御納戸組頭などの役職を務めました。

関はやがて、中国で生まれた代数問題の解法である「天元術」の研究と改良に没頭。延宝二（一六七四）年に著した『発微算法（はつびさんぽう）』の中で、筆算による代数の計算法を発表し、和算の劇的な発展に寄与しました。

また、関は円周率の近似値を、小数点以下十桁まで正確に算出することに成功。これは当時、世界的に見ても最も優れた研究の一つでした。

関は宝永五（一七〇八）年に病没しましたが、彼の弟子たちが以後も研究を継続。

「江戸の数学」は極めて高い水準にありました。
江戸期に世界最先端の天体望遠鏡をつくったのは国友一貫斎（くにともいっかんさい）。安永七（一七七八）年、近江国の国友村に生まれた一貫斎は、もともとは鉄砲鍛冶でした。しかし、オランダ製の反射望遠鏡に感銘を受けた一貫斎は、独学で研究を開始。そしてわずか一年後の天保五（一八三四）年には、オランダ製のものに比べて約二倍もの高性能を誇る独自の反射望遠鏡をつくりあげました。これが日本初の反射望遠鏡でした。

反射望遠鏡には二枚の鏡が使用されますが、一貫斎がつくった鏡はガラスに近い特殊な合金でできていました。一貫斎は卓越した合金技術で、この鏡の製作に成功していたのです。これは金属工学的にも高い技術力があったことを意味しています。

一貫斎はこの自作の反射望遠鏡を使い、正確な天体観測を実施。太陽の黒点や、月のクレーターの形状、金星や木星の観測など、膨大な記録を克明に残しました。江戸期には、天文学も大きく発展していたのです。

豊田佐吉の挑戦

トヨタ自動車を中核とする「トヨタグループ」の創始者である豊田佐吉は、慶応三（一八六七）年、遠江国敷知郡山口村（現・静岡県湖西市）で生まれました。父の伊吉は農業の傍ら、大工も兼業していました。幼少時から手先が器用だった佐吉は、父の大工仕事をよく手伝っていました。

やがて「発明によって人の役に立ちたい」と発明家への道を志した佐吉は、明治二十三（一八九〇）年、「豊田式木製人力織機」を製作。それまでの織機は両手を使って動かす構造でしたが、佐吉が開発した新型機は片手だけで織れるよう独自の改良が施されていました。この画期的な発明により、作業効率は五割近くも向上したと言われています。

明治二十九（一八九六）年には、手機ではなく蒸気機関を動力源とした「豊田式汽力織機」を発明。生産性はさらに飛躍的に伸びました。その後も佐吉は地道な研究に取り組み、織機の改良に努めました。

明治四十四（一九一一）年、佐吉は豊田自動織布工場を設立。同工場はその後、豊田紡織株式会社へと改組されました。

大正七（一九一八）年からは、中国の上海に進出。海外で事業を行うことは、佐吉にとって長年の夢の一つでした。中国での事業展開にあたり、周囲からは心配する声もあがりましたが、佐吉は、

「障子を開けてみよ。外は広いぞ」

と語ったと伝えられています。

大正十三（一九二四）年、完全な自動織機である「無停止杼換式豊田自動織機（G型）」がついに完成。当時、この業界における先駆的な存在だったイギリスのプラット社の技術者は、このG型自動織機を「マジックルーム（魔法の織機）」と称賛したと言われています。この自動織機は従来品の十五～二十倍という驚異的な生産性を達成しました。

昭和五（一九三〇）年十月三十日、佐吉は脳溢血からの急性肺炎により逝去。享年六十三。その生涯において取得した発明特許の数は八十四件、外国特許も十三件に及

びます。佐吉の独創的な発明によって得られた資金は、その後の自動車開発に活用されていきました。

「世界のトヨタ」の基礎は、こうして培われたのです。

第7章

日本人は洗練された美意識を持つ

散りゆく桜を愛でる心

日本の春を彩る花と言えば桜。フランスで「春を告げる花」と言えばミモザですが、日本の場合は桜ということになります。

春の時期に訪日した外国人が驚くのは、日本の報道番組が「桜がいつ咲くか」について連日、細かく報じていること。確かに春になると日本の天気予報では「桜の開花予想」がかなりの時間を割いて報じられます。これは日本ならではの光景です。

『万葉集』の中には、桜を詠んだ歌が四十三首あります。一方、梅にまつわる歌の数は百十首にのぼりますから、奈良時代には梅のほうがより生活に密着した存在だったのかもしれません。

しかし、平安時代に編まれた『古今和歌集』になると、桜を詠んだ歌が増えます。在原業平（ありわらのなりひら）は桜の開花を待ち焦がれる落ち着かない心のありようをこう詠んでいます。

〈世の中にたえて桜のなかりせば春のこころはのどけからまし〉（世の中に桜がなければ春は心のどかに過ごせるだろうに）

また、平安末期から鎌倉初期の時代を生きた西行は、次のように詠みました。

〈願はくは花のしたにて春死なむそのきさらぎの望月のころ〉（願うことなら桜の花の下で死にたい。しかも釈迦が入滅した陰暦二月二十五日の満月の頃に）

西行は実際、文治六（一一九〇）年二月十六日にその生涯を閉じました。

そんな桜の人気は、江戸時代になるとより広く庶民の間に定着しました。

「花は桜木、人は武士」というように、日本人が桜に惹かれる理由の一つは、その潔い散り際にあるのでしょう。もとより仏教には「この世のすべてのものはみな同じであり、同じ仏性を宿す」という思想がありますが、開花してわずか一週間から十日間ほどで散ってしまう桜の花は、とりわけ武士道の死生観と共鳴する部分がありました。日本人は桜の一瞬の美の中に、世上（せじょう）の儚（はかな）さを投影するのです。日本人の「やまとごころ」の一つと言えるでしょう。

近年では、花見の季節に合わせて訪日する外国人観光客の数も急増しています。特に中国からは桜を見ることを目的としたツアー客が毎年、大勢訪日します。中国人の「桜好き」も相当なものです。

日本を紹介する外国のガイドブックの表紙にも、桜が咲き誇る写真が使用されることが少なくありません。桜はまさに日本の国花にふさわしい存在です。

龍安寺の石庭にある「わび・さび」

大佛次郎の小説『帰郷』は、敗戦後にマラッカから日本に帰国した海軍軍人が主人公。主人公は荒廃した国土と、軽薄な戦後の風潮に絶望します。

しかし、そんな彼の心を救済したのが龍安寺の石庭などの古寺でした。大佛は主人公にこう語らせます。

〈贅沢を悪徳として貧乏を美徳に算えて来た民族でないと、こんな清潔で美しい庭を考え出すわけのものではない〉

龍安寺は京都府京都市にある臨済宗の寺院。開基は室町時代の守護大名である細川勝元で、創建は宝徳二（一四五〇）年です。応仁の乱によって一時焼失した後、明応八（一四九九）年に再建。その後、明治時代の廃仏毀釈によって衰退した時期もありましたが、現在では「古都京都の文化財」として、世界遺産にも登録されています。

石庭は枯山水の方丈庭園で、幅は約二十五メートル、奥行は約十メートル。白砂の敷き詰められた空間には、大小十五個の石が配置されています。「どの位置から眺めても必ずどこか一つの石が見えないように配置されている」と言われ、その周囲は独特の神秘的な雰囲気に包まれます。作庭した人物や時期、意図などは不明。配置の意味などは、見る側の自由な解釈に任されています。

大佛は「このような庭の美しさは、西洋人には理解できないであろう」との旨も綴っています。しかし、この点に関しては、かの文豪も誤認したかもしれません。

昭和五十（一九七五）年に来日したイギリスのエリザベス二世は龍安寺を訪れ、石庭の美しさを絶賛。このことが海外メディアで大きく報じられたため、その存在が国際的に広く知られるようになりました。

現在の龍安寺は、世界中からツアー客が集まる人気の観光地となっています。彼らが体感したいのは、日本人の美意識の一つである「わび・さび」。一般的に「わび（侘び）」は「簡素でつつましい優美さ」を表し、「さび（寂び）」は「時間の経過とそれに伴う劣化」などを意味します。世の中の不完全さや儚さの中に美を見出す感性は、日本においては文学や哲学、芸術など幅広い分野で認められます。「完全なる美」を求める傾向が強い西洋に対し、「不完全さの中に美を見出す」のが、日本人の美的感覚の一つです。

また、日本式の庭園は、あくまでも自然との調和の中でつくられるのが特徴。人為的な雰囲気が濃くなることを避け、自然が持っている本来の美しさを引き出すことが目指されます。一方、西洋式の庭園では、フランスのヴェルサイユ宮殿やドイツのシャルロッテンブルク宮殿、オーストリアのシェーンブルン宮殿などを見てもわかる通り、左右対称のシンメトリックな構造や、大きく刈り込まれた木々、四角く構成された池など、自然を人間の好みに合うように管理した様式が広く用いられます。日本では水の流れをそのまま活かした「ししおどし」が好まれますが、西洋では自然の摂理に逆らうようにして天に向かう「噴水」が庭園の中心に配されます。自然と調和しようとする日本人と、自然を支配しようとする西洋人の精神構造の違いが、それぞれの庭園に反映されているように思います。

龍安寺石庭。十五の石で五つの石組みを構成しており、黄金比や遠近法といった手法も用いられている。

日本映画が持つ「奥行き」

映画界の世界的な巨匠である黒澤明。最近では「黒澤映画を観たことがない」という日本の若者も増えているようですが、海外での評価は依然として絶大なものがあります。

ジョージ・ルーカスの『スター・ウォーズ』シリーズも、黒澤作品の影響を強く受けていると言われています。その他、フランシス・フォード・コッポラやスティーブン・スピルバーグといった名監督たちも、黒澤を「師」と仰いでいます。

そんな黒澤の「細部へのこだわり」は、しばしば外国でも話題にあがります。

黒澤の名作『赤ひげ』にまつわる一つの逸話があります。療養所内のとあるシーンで、小道具係は当初、薬を入れる棚箱の中をカラにしていました。映像には映らないため、必要がないと判断したのです。当然と言えば当然のことでしょう。

しかし、それを知った黒澤は激怒。映像には映らないとしても、薬が入っているべき場所に入っていなければ、それはリアリズムに反するというのです。そして、その影響は役者の演技にも表れると説きました。

結局、撮影は棚箱に薬を入れてから行われました。黒澤の強いこだわりが感じられるエピソードです。

実はこの逸話を、私はラトビアの首都・リーガで聞きました。この話を教えてくれたラトビア人の大学生は、

「クロサワ映画はすべて三回以上、観ている」

と力説するほどの黒澤ファンでした。

一九九九年にアメリカ誌『タイム』（アジア版）が選んだ「今世紀最も影響力のあったアジアの二十人」にも黒澤は選ばれています。

一方、アニメーション映画の世界では、スタジオジブリの作品が世界中で高く評価されています。『もののけ姫』は「自然と共存できない人間の存在」をテーマとして描いた作品ですが、環境問題のテキストとして学校の授業などで使用されることも珍しくありません。

日本映画の特徴の一つとして挙げられるのが、「善悪がはっきりしない構図」。正義

と悪の対立が明確に描かれることが多いハリウッド映画とは一線を画していると評されています。日本映画が宿す高い文学性や、複雑性に満ちた奥行きのある物語は、実写であれアニメであれ、多くの映画ファンから賞賛されているのです。

世界に笑顔をもたらすジャパニメーション

日本と言えば今や「マンガ」を思い浮かべる海外の人々も少なくありません。鳥山明の『ドラゴンボール』は、全世界累計で二億五千万部以上の発行部数を記録。単行本の他、アニメやゲームなどを含めた総売り上げは、約二百三十億ドル（約二兆五千億円）とも言われています。以前、アフリカのチュニジアで出会った青年は、私にこう言って笑いました。

「ドラゴンボールを七つ集めたのは鳥山明だよ」

また、『キャプテン翼』も世界中で読み継がれています。フランスのジネディーヌ・ジダンや、イタリアのフランチェスコ・トッティといった世界的なサッカー選手が、サッカーを始めたきっかけとして『キャプテン翼』を挙げています。

主にマンガを原作とした日本製のアニメは、「ジャパニメーション」とも呼ばれています。スティーブ・ジョブズやイーロン・マスクといった著名なＩＴ企業家の中には、日本のソフトコンテンツから多大な影響を受けたことを自認する人物が少なくありません。

私が以前、ユーゴ紛争後のボスニア・ヘルツェゴビナを訪れた際、首都のサラエボでとある一般家庭に招かれたことがありました。その家には四人の子どもがいましたが、部屋は『ポケモン』のグッズで埋め尽くされていました。母親は笑いながら私にこう言いました。

「日本人のあなたにはぜひ愚痴を言っておきたいわ。『ポケモン』のせいで、グッズをせがまれるわ、テレビを観せないと大泣きするわ、毎日大変なのよ」

戦争の惨劇から懸命に立ち直ろうとする人々の営みの中に、日本のアニメがありました。娯楽を輸出して世界中に笑顔を生み出している日本という国を、私は率直に誇らしく思いました。

イラクでは『UFOロボ　グレンダイザー』が「放送中に街から人がいなくなる」と言われるほどの社会現象に。このアニメは『マジンガーZ』で知られる漫画家の永井豪氏が手掛けた作品で、日本では昭和五十（一九七五）年にテレビ放映されました。二〇〇二年、サダム・フセイン時代のイラクを訪問した際、私がそのアニメを観たことがない旨をイラク人に告げると、

「日本人がグレンダイザーを観ていないなんて」

と随分と驚かれました。

フィリピンでは『超電磁マシン　ボルテスV（ファイブ）』の最高視聴率が58％を記録。今でも多くのフィリピン人は、その主題歌を日本語のままカラオケで熱唱することができます。現在、フィリピンでは同アニメの実写版映画が制作されています。

近年では新海誠監督の作品が世界を席巻。その美しい描写力と、きめ細かなキャラクター設定は、「アニメの概念を変えた」とも称されています。

また、『寄生獣』『東京喰食（トーキョーグール）』『約束のネバーランド』といった作品は、人類と異生物との戦いを描いたものですが、一方を「絶対的な悪」と断罪す

るような勧善懲悪の物語ではありません。敵対する相手の立場にまで思いを馳せ、共存の道を模索しようとする内面的な葛藤が仔細に描かれています。こういった多面的な構成も、日本製コンテンツの大きな特徴です。

かつてのアニメは「子供が観るもの」というのが世界的な常識でした。しかし、近年「大人も楽しめる」ものに変わってきたのは、文学性や芸術性の高い日本作品の影響が大きかったと評されています。

二〇一九年七月十八日、それまで世界的な人気アニメをいくつも制作してきた京都アニメーションの第一スタジオが放火による火災で全焼し、三十六名もの犠牲者が出るという痛ましい事件が起きました。この悲劇を受けて、世界中から追悼の言葉が寄せられたのは、いまだ記憶に新しいところです。

ディズニー・ワールドに展示された加賀友禅

近年、国際化が急速に進む中で、外国人から多くの関心を集めているのが、日本の伝統的な「職人文化」。日本列島には津々浦々、特色溢れる職人文化が多様に点在しています。

石川県金沢市に古くから伝わる加賀友禅。その老舗である毎田染画工芸は平成二十八（二〇一六）年七月、ユニクロと協力するかたちで、フロリダのウォルト・ディズニー・ワールド・リゾート内の店舗に加賀友禅の振袖を展示しました。日本の細緻な「美」の結晶が、多くのアメリカ人に深い感動を与えました。

五十二代続く鍛冶職人の家系である明珍家の現当主・明珍宗理さんが新たに力を入れているのは「風鈴」の製作。古くから受け継がれてきた鍛冶技術を活かすかたちで、紆余曲折の中から生み出された風鈴の音色は、世界的な音楽家であるスティービー・ワンダーから、

「近くで響いているのに遠くで響いているように聞こえる東洋の神秘の音色」

と賞賛されました。

『次郎は鮨の夢を見る（Jiro Dreams of Sushi）』は、二〇一一年に公開されたアメリカのドキュメンタリー映画。銀座に店を構える寿司の名店「すきやばし次郎」の小

アメリカのウォルト・ディズニー・ワールド・リゾート内にあるユニクロ店舗に展示された加賀友禅の振袖。（ディレクション：梅田一宏）

野二郎氏に密着取材し、その日常を描いた作品です。

同店は何年も続けて『ミシュランガイド』で三つ星を獲得するなど、世界的な注目を集める老舗ですが、同映画では素材へのこだわりや、寿司の世界の果てしない奥深さ、厳しい師弟関係などが丁寧に描写されています。

近年、海外では「スシ・バー」が急増していますが、それらの店舗では職人が十分な修業をしていないケースがほとんど。そもそも日本人が握っていない店が大半ですが、そんな「スシ」に慣れ親しんだ海外の人々は、訪日して「寿司」の本物の味を知ると、

「こんなに違うものなのか」

と一様に仰天することになります。米紙「シカゴ・トリビューン」の辛口映画評論家であるマイケル・フィリップス氏は、同映画を鑑賞した後、感想としてこう述べました。


「東京がもっと近ければいいのに」

世界を席巻した日本の漆器

十六世紀、ヨーロッパの人々が瞠目した日本文化の一つに漆工がありました。漆とはウルシから採れる樹液のことを指し、漆器は「漆塗りを施した器物」ということになります。漆を表面に塗り重ねていくと、外見が良くなる上、格段に長持ちするようになります。

漆工の技術は日本だけでなく、東南アジア一帯などでも見られますが、日本の漆器はとりわけ高い芸術性を帯びながら発展したところにその特徴がありました。

日本における漆器の歴史は、縄文時代にまで遡ると言われています。奈良時代には唐から蒔絵（まきえ）や螺鈿（らでん）、漆絵といった新たな技術が伝わりました。蒔絵とは漆で文様を描き、乾かないうちに金や銀などの粉末を付着させ、その後に磨き上げるという技法です。その後の平安時代には、日本特有の蒔絵の技法が発達していきました。

以降、漆器は日本人の生活に欠かせない存在として定着。各地方に様々な個性を持った漆器が生まれました。

桃山時代には、高台寺蒔絵に代表される新たな様式が誕生。高台寺蒔絵とは、豊臣秀吉とその夫人である高台院を祀る京都の高台寺の霊屋内を装飾した蒔絵と、その調度品を指します。室町時代の蒔絵が過剰な装飾に傾いていたのに比べ、秋草文様などを簡便な技法で描くのがその特徴でした。

いつしか漆器には、日本人独特の美的感覚が濃密に集約されるようになりました。その高い芸術性が、ヨーロッパの人々の目にとまったのです。

やがて漆器に関する日本の技術は、ヨーロッパを経てアメリカにまで伝えられました。アメリカでは日本の技巧を基盤として、さらに多くの漆器が生み出されるようになりました。特にボストンでは多くの漆器が製造されました。

その流れは遠く中南米にまで及びました。十六世紀から十七世紀にかけて、日本にやってきたスペイン人たちが多くの漆器を祖国に持ち帰りましたが、それらがスペイン領だったメキシコやペルーにまで伝播したのです。

英語で「漆器」は「japan」とも呼ばれます。日本の高度な工芸技術が世界を席巻した名残です。

浮世絵を手本としたゴッホ

日本の浮世絵は、世界の美術界に計り知れない影響を与えました。

江戸時代に成立した浮世絵は、主に多色摺(ず)りの木版画錦絵のことを指し、美人画や名所絵、役者絵などの種類に分類されます。

「天才浮世絵師」こと葛飾北斎は、宝暦十（一七六〇）年の生まれ。幼少時から絵画に親しみ、十九歳の時に浮世絵師・勝川春章(かつかわしゅんしょう)のもとに弟子入りしました。独立後、多くの作品を発表して人気絵師となりましたが、中でも『富嶽三十六景』は有名です。

開国後は、多くの浮世絵が海を渡りました。

その大胆な構図や、独特の色彩感覚は、欧米人の心をたちまち魅了。日本では庶民が気軽に楽しむような身近な存在だった浮世絵が、欧米では驚くほどの高値で取引されるようになりました。

やがて浮世絵をはじめとする日本美術は大きなムーブメントとなり、「ジャポニズム（日本趣味）」と呼ばれました。フランス語では「ジャポニスム」、ドイツ語では

「ヤポニスムス」という呼称になります。極東で急激な成長を遂げてきた日本という国が有する芸術性は、キリスト教文化圏とは大きく異なるものでした。

欧米社会において、浮世絵は広く受容されました。

そして、浮世絵の登場は一過性の流行にとどまらず、新たな芸術運動への扉を開く契機にさえなったのです。中でも印象派の画家たちは、浮世絵から多大な刺激を受けました。

オランダのフィンセント・ファン・ゴッホは、歌川広重の作品を油絵で模写。『タンギー爺さん』という作品の背景に浮世絵を配した他、花魁（おいらん）の姿を日本風の筆致で描いた油彩画なども残しています。ゴッホは弟のテオに宛てた手紙の中で「僕の仕事は、みな多少日本の絵が基礎となっている」と綴っています。

また、フランスのエドゥアール・マネの『笛を吹く少年』も浮世絵の影響を受けています。その他、モネやゴーギャン、ドガ、ロートレックといった画家たちも、浮世絵から強烈なインスピレーションを得たと言われています。

世界の芸術史における浮世絵の存在感は不動です。

一九九八年にアメリカの雑誌『ライフ』が発表した「この千年で最も偉大な業績を残した百人」の中に、日本人で唯一選ばれたのが葛飾北斎でした。

ティファニーが愛したジャポニズム

世界を席巻したジャポニズムは、浮世絵だけではありません。一八八六年に刊行されたエドワード・モース著『日本の家屋と環境』には、当時のアメリカ社会の様子として、次のように記述されています。

〈この二十年間、次第にわれわれの国に、珍しく、美しく、そして人目をひく、いろいろな日本のものが姿を見せ始めた。塗りもの、陶磁器、木や金属製品、おもしろい形の箱、奇妙な象牙の彫刻、布や紙製品、その他、多くの品物が入ってきた〉

一八五八年に日米修好通商条約が締結され、一八六五年に南北戦争が終結すると、様々な日本の美術品や工芸品がアメリカに流入するようになりました。ジャポニズムと言うと「ヨーロッパでの熱狂」というイメージが強いかもしれませんが、その潮流はアメリカにまで及んでいたのです。

その後、アメリカの都市部では、日用品や装飾品に日本風のアレンジを加えることが大流行。一八七〇年代に入ると、ニューヨークのティファニー社が日本をモチーフにした陶磁器や花瓶などを制作し始めました。同社の創業者の一人であるチャールズ・ルイス・ティファニーは、螺鈿や象嵌（ぞうがん）といった技法を用いた日本の工芸品を初めて目にした際、その美しさに深く感激したと言います。

その後、ティファニー社は繊細な日本文化の趣きを、巧みに自社製品に融合させることに成功。それまでの西洋的な美意識とは一線を画す幻想的な雰囲気は、エキゾチズム（異国趣味）と相まって多くの愛好家を生み出しました。日本の伝統美とアメリカの職人技が、見事に調和したのです。

以来、同社は竹や朝顔、あやめ、しだれ桜、藤、ひょうたん、トンボといった日本的な文様をあしらった商品を次々と発表。中でも真珠を用いた意匠は「ジャパネスク」と呼ばれ、とりわけ大きな反響を呼びました。日本趣味を取り入れた商品は、花瓶やデスクセットの他、皿、ティーカップ、コーヒーポット、砂糖壷など多岐に及びました。その人気は凄まじく、類似品や模造品が出回るほどでした。

今や世界的高級ブランドのティファニーも、その成長の過程にはジャポニズムがあったのです。

岡倉天心が広めた茶道の心

二〇一六年、イギリスの『ペンギン・ブックス双書』に岡倉天心の著作『茶の本(The Book of Tea)』が加えられました。同双書は世界の名著のみが収蔵される格式高い出版ブランドです。

天心は文久二(一八六三)年、横浜で生まれました。東京開成学校(現・東京大学)で政治学や理財学を学んだ後、アメリカの東洋美術史家であるアーネスト・フェノロサの助手となり、多様な美術品の収集を手伝いました。明治二十三(一八九〇)年には、東京美術学校(現・東京芸術大学)の初代校長に就任しました。

『茶の本』が出版されたのは、明治三十九(一九〇六)年。当時、ボストン美術館の中国・日本美術部長の役職にあった天心が英語で執筆し、ニューヨークの出版社から刊行されました。日本国内で邦訳版が出版されたのは、天心没後の昭和四（一九二九）年のことです。

十九世紀半ばから二十世紀初頭にかけて、欧米社会には「ジャポニズム」の波が押し寄せていましたが、そんな中で刊行された『茶の本』はアメリカだけでなく、フランスやドイツでも「日本文化の啓蒙書」として多くの愛読者を獲得しました。

お茶を飲むという習慣は、奈良時代から平安時代にかけて遣唐使によって日本に伝えられたとされますが、儀礼として確立したのは禅寺での喫茶文化が定着した鎌倉時代であったと言われています。その後、安土桃山時代には千利休の「侘茶（わびちゃ）」によって、悟道的なものにまでその存在が高められました。「侘茶」とは、道具や茶室の豪奢（ごうしゃ）を排して、簡素静寂な境地を重んじた茶の湯の一様式です。その精神は「和敬清寂（わけいせいじゃく）」という言葉で表され、「お互いの思いやり」や「心の清らかさ」といった姿勢がより重視されるようになりました。

『茶の本』は単なる茶道の解説書ではありません。天心は同書において「日本人の美意識の中心」として茶道を位置付けました。天心は日本人が有する世界観を俯瞰した上で、その伝統的な精神文化の本質に迫ろうと試みました。

天心が唱えた茶道の要諦とは「俗事中の俗事である『お茶を飲む』という極めて日常的な営みを、究極の芸術であり宗教ととらえる日本独特の世界観」とするものでした。そして「『一抹の夢』に過ぎない現実世界の無常を美しいものと観じ、微笑んで受け入れる境地」を「茶の精神」としました。一杯のお茶にさえ美を見出すのが、日本人の感性なのです。

さらに天心は、自然と調和した日本文化の奥深い普遍的価値に言及しつつ、欧米社会にはびこる物質主義を批判。その鋭く重層的な視点には、今も多くの読者から共感の声が寄せられています。

天心の主張の根底にあるのは「茶道の精神に学び、平和に暮らそうではないか」という率直な問いかけ。天心は「平和的」で「内省的」な茶道の境地にこそ、日本人の心の神髄があると説きました。

令和の時代にも、耳を傾けたい言葉です。

おわりに

以前、評論家の竹村健一氏とラジオでご一緒させていただいた際、竹村氏はいつものどことなく愛嬌漂う柔らかな口調で、
「世界は親日的な国ばかり。日本人はそのことをもっと知っていていい」
としみじみと語られました。私もそれに深く同意したことを覚えています。そんな竹村氏も令和元（二〇一九）年七月八日、御代替わり（みよ）を見届けるようにして、この世を去られました。

同年十月二十二日、天皇陛下が即位を国内外に宣明される「即位の礼」の中心儀式である「即位礼正殿の儀」が執り行われました。海外からは、実に百九十を超える国や機関の人々約四百人が参列しました。

平安絵巻を思わせる厳粛な儀式はまさに日本の国柄そのものでしたが、その様子は

海外メディアでも大きく報道されました。アメリカのCNNは約三十分にもわたって生中継。「長年にわたり伝統が受け継がれている」と驚嘆と共に伝えました。中国「新華社通信」（英語版）は「古式ゆかしく高度に儀式化されている」との言葉を用いて報じました。

連綿と続く日本の伝統文化には、他に類を見ない独自性が宿っています。そのかけがえのない価値体系を、私たちは今後も大切に継承していかなければなりません。

儀式の当日、東京は朝から雨が降り続いていました。しかし、儀式の直前、雨はやみ、雲の合間からは爽やかな青空さえのぞきました。さらに、その直後にはなんと虹までかかったのです。国内はもちろん海外のSNSなどでも、この事実は「奇跡」として受け止められました。

高浜虚子の作品に「去年今年（こぞことし）　貫く棒の如きもの」という一句があります。日本人が今日まで大切に紡いできた国柄や美徳こそ、この「棒」のようなものではないでしょうか。

日本を粗末にしてはいけません。日本人が日本的な美徳の本質を見失ってしまったら、この国の明るい未来を切り拓いていくことは難しいのではないかと思います。昨今では、およそ美徳を忘れたとしか思えない人たちによる犯罪も増えているように感じます。

これまでの「美徳の積み重ね」に畏敬の念を寄せつつ、穏やかに受け継いでいきたいものです。

そうすれば、きっとまた美しい七色の虹が日本にかかることでしょう。

早坂隆（はやさか・たかし）

1973年、愛知県生まれ。ノンフィクション作家。大磯町立図書館協議会委員長。

国内外において、歴史や文化などに関する取材を続けている。『世界の日本人ジョーク集』（中公新書ラクレ）をはじめとするジョーク集シリーズは、累計100万部を突破。『昭和十七年の夏　幻の甲子園』（文藝春秋）でミズノスポーツライター賞最優秀賞受賞。他の著作に『ペリリュー玉砕』『指揮官の決断 満州とアッツの将軍 樋口季一郎』（いずれも文春新書）など多数。

主なテレビ出演に「世界一受けたい授業」「王様のブランチ」「深層NEWS」など。

【公式ツイッター】https://twitter.com/dig_nonfiction

すばらしき国、ニッポン～外国人が驚いた、日本人の美徳

2020年7月14日　第1刷発行
2020年8月12日　第2刷発行

著者　早坂隆
装幀　長坂勇司
本文デザイン　小木曽杏子
編集協力　毎田染画工芸
写真　共同通信イメージズ／ペイレスイメージズ／早坂隆
編集担当　畑北斗
発行者　山本周嗣
発行所　株式会社文響社
〒105-0001　東京都港区虎ノ門2－2－5
共同通信会館9F
ホームページ　http://bunkyosha.com
お問い合わせ　info@bunkyosha.com
印刷・製本　中央精版印刷株式会社

本書の全部または一部を無断で複写(コピー)することは、著作権法上の例外を除いて禁じられています。

購入者以外の第三者による本書のいかなる電子複製も一切認められておりません。

定価はカバーに表示してあります。

Printed in Japan ©2020 Takashi Hayasaka
ISBNコード：978-4-86651-219-8